# hiwmor
## SIR GÂR

CYFRES  TI'N JOCAN

# hiwmor
# SIR GÂR

Peter Hughes Griffiths

Argraffiad cyntaf: 2007

ISBN: 9 781 84771 0 017
ISBN-10:1 84771 001 8

Mae'r cyhoeddwyr yn cydnabod cymorth ariannol
Cyngor Llyfrau Cymru.

Cartwnau: Elwyn Ioan

Cyhoeddwyd, argraffwyd a rhwymwyd yng Nghymru
gan Y Lolfa Cyf., Talybont, Ceredigion SY24 5AP
*e-bost* ylolfa@ylolfa.com
*gwefan* www.ylolfa.com
*ffôn* (01970) 832 304
*ffacs* 832 782

# Cynnwys

# CYFLWYNIAD

GAN MAI PUM PUNT yr wythnos oedd cyflog fy nhad, prin iawn oedd y llyfrau yn ein tŷ ni pan oeddwn i'n grwt. Felly, pan ges i gopi o *Cerddi Digri a Rhai Pethau Eraill* Idwal Jones, yn rhodd noson y 'Christmas Tree' yng Nghapel Closygraig yn 1948, roeddwn i wrth fy modd.

Fe es i ati i ddysgu llawer o'r darnau a'r limrigau doniol, a'u hadrodd mewn gwahanol nosweithiau lleol. Dyna pryd y gwelais i Tom Morgan (Tom Dancapel – tadcu Ann Pash a Norma Winston Jones) yn arwain ambell gyngerdd a Noson Lawen, a chofiaf yn dda am ymateb pob cynulleidfa i'w storïau.

Tom aeth â fi yn grwt pymtheg oed am y tro cyntaf i'w helpu i arwain noson, ac i roi adroddiad digri neu ddau o waith Abiah Roderick yn Neuadd Pentrecwrt. Cofiaf am y noson honno, nid am storïau Tom nac am fy adroddiadau i, ond am ein bod wedi gorfod stopio sawl gwaith yn ystod y noson am fod sŵn y cawodydd trwm o law a chesair ar do sinc y neuadd yn golygu na allai unrhyw un glywed dim o'r hyn oedd yn mynd ymlaen!

Faint o storïau rwy wedi eu dweud ar lwyfannau ac mewn pob math o ddigwyddiadau ers noson Pentrecwrt, does gen i ddim syniad!

Cefais fy magu mewn ardal gyda llond y lle o gymeriadau ffraeth eu tafodau a lle roedd doniolwch llafar yn fwrlwm. Byddai Jac y Peinter yn galw yn ein tŷ ni yn aml. Fe fues i'n byw drws nesaf i Sam Parcerrig am flynyddoedd lawer ac roedd anturiaethau a storïau am Danny Cole yn destun pob sgwrs trwy gyfnod fy magwraeth yn Nrefach-Felindre.

Parhaodd y traddodiad hwnnw yng nghwmni Gwynfor Jones a'r diweddar Eirwyn Maesyberllan, gan iddyn nhw fy mwydo gyda storïau newydd ar hyd y blynyddoedd.

Ac i'r cyfeillion hyn y cyflwynaf y gyfrol hon, gan mai hiwmor fel eu hiwmor nhw yw'r math o hiwmor a oedd yn gyffredin ym mhob ardal ar draws y sir.

Hanner can mlynedd olaf y ganrif ddiwethaf oedd 'oes aur' yr hiwmor naturiol hwn yng nghefn gwlad ac ym mhentrefi a threfi Sir Gaerfyrddin. Bellach mae'r cyfan bron â diflannu'n llwyr. Oes yna 'gymeriadau' ar ôl? Ambell un prin, efallai!

Diolch i'r Lolfa am gasglu'r hiwmor hwnnw a fu unwaith yn cymaint rhan o'n magwraeth a'n bywydau, yn y gyfres ardderchog *Ti'n Jocan*.

Pan oedd rhyw fenyw yn dweud wrthoch chi ar ôl ambell Noson Lawen, "Bues i biti biso ar 'y nhraws yn wherthin ar ôl rhai o'ch storis chi," ry'ch chi'n gwybod am y pleser a'r mwynhad a gafodd y gynulleidfa. Gobeithio y cewch chi'r un pleser a'r mwynhad wrth ddarllen *Hiwmor Sir Gâr* – a chofiwch fod y cwbl yn wir!

**Peter Hughes Griffiths**

# YR HEN ARDAL

Ar dudalen gyntaf ei lyfr *Hiwmor Y Cardi*, mae Emyr Llywelyn yn sôn am fy hen gyfaill ysgol Eric Griffiths neu Eric Tŷ Hen fel y galwem ni e. Roedd Eric yn gyfaill agos i mi gan i'r ddau ohonom fynd i Ysgol Ramadeg Llandysul gyda'n gilydd, a'i rif mynediad ef oedd 2886 a f'un inne oedd 2887.

Ond, fe anghofiodd Emyr sôn am ddigwyddiad pwysig arall rhwng Eric a Lewis y Goat, un o athrawon dawnus yr ysgol.

Ar yr ail ddiwrnod ar ôl cyrraedd Ysgol Llandysul, dyma ni'n cael gwers *algebra* gan Lewis. Doedd plant Cwmpengraig erioed wedi clywed am y gair, heb sôn am gael gwers yn y pwnc!

A dyma Lewis yn gosod sawl '$x$' a '$y$' a sawl '+' a '−' ar y bwrdd du mewn llinell syth.

Ac yna, medde fe'n sydyn, "Sut alla i gael gwared ar yr '$x$' hon?"

Bu tawelwch hir nes i Eric godi ei law a dweud, "Rwbiwch hi mas syr!"

★ ★ ★

'Doedd gan Eric ddim diddordeb mewn gwaith ysgol – dim ond mewn barddoni ac adrodd straeon digri.' Dyna a ddywedodd Emyr amdano, a gwir hynny bob gair.

Rwy'n cofio Eric yn dod i eistedd ei arholiadau Lefel O, ac wrth deithio ar y bws bob bore ar ddydd y gwahanol arholiadau fe fyddai'n gofyn, "A beth sy gyda ni heddi te, bois?"

Bu'n aelod ffyddlon o Gôr Bargod Teifi ac ymddangosodd benillion o'i waith yn y *Tivy Side* lawer tro, a phan gafodd y côr y drydedd wobr yn Eisteddfod Genedlaethol Aberteifi yn 1976, cafwyd adroddiad llawn gan Eric ar ffurf cân. Dyma ddau bennill yn unig o'r hyn a ymddangosodd yn y papur lleol:

> Dan fatwn Mrs Lewis
> Fe ddaeth yr hyfryd awr,
> A chyfle 'Ysbryd Dwyfol'
> Gerbron y dyrfa fawr.
> Bu'r gyfeilyddes shwt *success.*
> Mae Nesta fel Dame Myra Hess.
>
> Roedd disgwyl amyneddgar.
> Beirniadaeth ddaeth am chwech.
> Gwrandawai pawb yn astud,
> O'r corau – pwy fu'n drech?
> Daeth wyth deg wyth o farciau, ie,
> Côr Bargod rannai'r trydydd lle.

* * *

'Rhyw filltir ar ei phen oedd rhyngof i a bod yn Gardi, oherwydd fe'm ganed yn Nrefach-Felindre, bro ddiwylliedig ac yno gymeriadau hoffus, gwreiddiol a ffraeth.' Dyna eiriau Elfyn Talfan mewn erthygl ar hiwmor Sir Gâr ar gyfer Eisteddfod Genedlaethol yr Urdd yng Nghaerfyrddin yn 1967. Fel Elfyn Talfan, fe alla i ddweud yr un peth yn gwmws.

Rwy'n ddigon hen i gofio y 'Welcome Home Concerts' yn ystod, ac ar ôl, yr Ail Ryfel Byd. Byddai cyngherddau'n cael eu trefnu yn y pentrefi ar hyd a lled Sir Gaerfyrddin i groesawu'r bechgyn nôl o'r rhyfel.

Mewn un o'r cyngherddau hyn y clywais am ddau o fechgyn plwyf Llangeler allan yn y Sahara yn ymarfer ac yn ymladd yn yr haul crasboeth.

Un diwrnod, meddai Wil wrth Dai ei ffrind, a'r haul tanbaid uwchben, "Wyt ti'n gwbod pa ddiwrnod yw hi heddi, Dai?"

"Nadw i."

"Wel, mae'n ddiwrnod Ffair Calan Gaeaf Castell Newydd heddi."

"Jawch," medde Dai, "maen nhw wedi bod yn lwcus o ddiwrnod, ta beth!"

★ ★ ★

Yn un o'r 'Welcome Home Concerts' yn Ysgol Brynsaron, a'r lle'n llawn dop, roedd Selwyn Glaspant yn arwain ac yn dweud stori am Dai Brynglas ar gefen ei foto beic – bob amser yn gwisgo'i gap pig am nôl. Daeth Dai yn arwr i'r bechgyn ifainc am ei fod yn gwisgo'i gap a'i big am nôl ac yn mynd mor gyflym ar ei foto beic.

Pan aeth Geler Pencaeau i Siop y Jones yn Llandysul i brynu cap newydd, fe ofynnodd Artie iddo fe, "Shwt gap wyt ti isie, Geler?"

"O," medde Geler, "un 'run peth â Dai Brynglas – â'i big e am nôl!"

★ ★ ★

Ar ôl dod adref wedi'r rhyfel byddai llawer o'r bechgyn a fu'n ymladd yn adrodd y storïau mwyaf rhyfedd, ac yn ôl Wil a Dai eto, roedden nhw yng nghanol y Sahara gyda'u platŵn, a'r gelyn o'u cwmpas. Ni allai neb adael y camp am fis, yr holl fwyd wedi gorffen a phawb biti lwgu.

Yn ôl Dai, doedd dim amdani ond mentro allan ar ei ben ei hun yng nghanol nos heb i'r gelyn ei weld. Fe wnaeth hynny un noson, gan ddod nôl y noson wedyn yn nhywyllwch y nos. Roedd pawb yn falch iawn o'i weld e ac yn awyddus i ofyn iddo a oedd rhyw fath o fwyd yn rhywle er mwyn eu hachub nhw rhag starfo.

Ac medde Dai wrthyn nhw, "Ma newyddion drwg a newyddion da gyda fi i chi, bois. Y newyddion drwg yw mai dim ond dom camel weles i."

"A beth yw'r newyddion da?" gofynnodd y bois.

"Wel, ma digon ohono fe mas 'na!"

Nododd Elfyn Talfan fod digon o gymeriadau hoffus, gwreiddiol a ffraeth yn yr hen ardal. Cofiaf yn dda am sawl un, a mawr oedd y siarad yn yr ardal am eu campau, ac yn yr awyrgylch honno y ces i fy magu.

Dyna ichi Danny Cole. Ei brif rinwedd oedd na ddywedai air drwg na chelwydd am neb. Sôn amdano'i hunan y byddai bob amser.

A'r tro hwnnw pan oedd ei wraig yn disgwyl eu babi cyntaf a Danny yn rhuthro ar gefn ei feic o Drefach draw i nôl Doctor Jenkins o Drebedw, Henllan, a'r babi ar ddod.

"Ro'n i'n paso'r pyst teleffon fel dannedd crib, draw a nôl," meddai Danny. "Hongianes i'r beic yn y sied yn y bac ar ôl dod getre. A wyddech chi beth, pan es i mas i'r sied y bore wedyn ro'dd yr olwynion yn dal i fynd rownd!"

★ ★ ★

Yn ôl Danny, gyda *fe* oedd y fferet fach orau yn Sir Gaerfyrddin. Yn y cyfnod adeg y rhyfel, pan fyddai dal cwningod a'u gwerthu i gael arian poced yn help mawr, roedd y fferet yn rhan bwysig iawn o'r gwaith hela cwningod. Rhoi'r fferet i mewn yn y twll ac yna'r cwningod yn rhedeg allan i'r rhwyd yng ngheg y twll.

"Ma'r fferet sda fi'n un mor dda," meddai Danny, "fe ddaw hi mas ambell waith a siglo'i phen er mwyn dweud wrtha i nad oes cwningod yn y twll!"

★ ★ ★

Hoffai Danny adrodd ei hanes yn gweithio yn Llundain pan oedd Churchill yn brif weinidog.

Roedd e'n troi ymhlith y *big bugs*, medde fe, ac yn ffrind personol i Churchill.

"Dere 'da fi," medde Churchill wrtho un diwrnod. "Rwy am fynd i weld y Brenin ym Mhalas Buckingham," a bant â'r ddau gyda'i gilydd.

Wrth groesi'r lle agored sy o flaen y palas, roedd y Brenin a'r Frenhines yn digwydd bod allan ar y balconi, a dyma hi'n troi at ei gŵr, ac medde hi, "Pwy yw hwnna sy'n cerdded *gyda* Danny Cole?"

★ ★ ★

Roedd tybaco a sigaréts yn brin iawn adeg y rhyfel a llawer o bobl yn gorfod rolio eu sigaréts eu hunain, gan gymysgu ychydig o flawd llif neu growns te er mwyn i'r owns o dybaco fynd ymhellach.

Yn ôl Danny fe aeth e ati i rolio sigarets o ddom ceffyl wedi sychu, ac fe gafodd gryn hwyl arni. Byddai'n tano lan yng nghanol cwmni a phawb yn arogli ei sigaréts.

"Beth wyt ti'n smocio, Danny?" holodd un o'r bois un noson, gan enwi math drud o sigarennau ar y pryd. "Wyt ti'n smocio 'Churchman's Number One'?"

"Na," meddai Danny. "Horse's Number Two!"

★ ★ ★

Un arall o gymeriadau'r ardal oedd Jac y Peinter. Fe oedd yn cael y gwaith o beintio'r tai i gyd yn yr ardal. Roedd e wedi cael ei eni ym Mhenlon Newydd ym mhentref bach Drefelin, ond ymfalchïai yn y ffaith ei fod wedi croesi Môr yr Iwerydd bump o weithiau i'r Amerig, nôl a mlaen, mewn llong.

Yn anffodus, roedd hynny'n gelwydd golau, gan mai yn America y dylsai Jac fod os oedd e wedi croesi'r Iwerydd bump gwaith, ac yntau wedi ei eni yn Nhrefelin!

★ ★ ★

Jac y Peinter oedd awdur gwreiddiol yr holl storïau Americanaidd a ledodd drwy'r wlad o'r 1950au ymlaen. Yn yr Allsop, tafarn John y Gwas ym mhentref Felindre ar nos Sadwrn, y byddai Jac yn sôn am ei anturiaethau Americanaidd.

"Chi'n gwbod, bois," medde fe. "Ro'dd y *restaurants* cymint o faint yn America, wyddech chi mai gwaith un dyn oedd mynd rownd â mwstard ar y fordydd ar gefen beic?"

"Chi'n gwbod, bois? Ro'dd y rhychie tato mor hir yn y caeau mawrion o'dd gyda nhw yn America, fe fydden nhw'n dechre plannu'r tato pen *hyn* y rhych, a phan fydden nhw'n cyrraedd pen *draw*'r rhych bydden nhw'n tynnu'r tato lle ddechreuon nhw."

★ ★ ★

"Chi'n gwbod beth, bois? Ro'n i'n aros mewn pentre lle roedd y doctor gore yn America. Doedd neb wedi marw yno ers ugain mlynedd, a gorfod i'r cownsil saethu dyn er mwyn iddyn nhw gael agor y fynwent newydd!"

★ ★ ★

Os digwydd i unrhyw Americanwr ddod i'r ardal, fe fydde Jac yn mynd ag e o gwmpas y pentref i siarad gyda phobl. Bob tro, fe fydde'r Americanwyr yn sôn am bopeth oedd yn *fwy* yn eu gwlad nhw. Un diwrnod roedd Americanwr a Jac yn mynd heibio i Benja Yr Ogof yn gweithio yn ei ardd.

"Be chi'n neud?" holodd yr Americanwr.

"Tynnu tato," medde Benja.

"Jiw, maen nhw'n fach," medde'r Ianc. "Ma'n tato ni ddeg gwaith yn fwy."

"Ie, ond chi'n gweld," medde Benja, "ry'n ni'n tyfu nhw i ffitio'n cegau ni!"

★ ★ ★

Bwtshwr yn byw drws nesaf i fi oedd Sam Parcerrig, yn y cyfnod pan oedd y bwtshwr yn dod heibio â'i fan yn llawn cig bob wythnos.

"Dewch â pishyn bach heb asgwrn i fi heddi," meddai un menyw ym mhentre Saron wrth Sam.

"Fenyw," meddai Sam, "chi'n meddwl mai malwod wi'n werthu!?"

Prynu buwch ar y fferm roedd y bwtshwried yn ei wneud y pryd hynny.

Roedd Jonnie Penlan Fawr yn flaenor parchus yng Nghapel Methodistiaid Closygraig. Pwy landiodd ar glôs ei fferm amser cino rhyw ddydd Sul, ond Sam y bwtshwr. Doedd gwneud busnes ar y Sul ddim yn rhan o gred y ffermwr, ond fe ofynnodd Sam am weld y fuwch oedd ar werth. Daeth â hi allan o'r beudy, a dyna lle roedd y ddau'n sefyll bob ochr i'r fuwch ar y clôs, ac meddai Sam, "Oni bai mai dydd Sul yw hi, bydden i'n gofyn ichi faint y'ch chi isie am y fuwch?"

"Wel," medde Jonnie, "oni bai mai dydd Sul yw hi, bydden i'n dweud hanner can punt wrthoch chi.'

"Jiw, odi hi'n dewach yr ochr 'na na'r ochor hyn te?!" meddai Sam.

★ ★ ★

Galwodd Jim ei ffrind ar Sam y Bwtshwr un noson, "Dere draw i weld yr ast fach 'co sy 'da fi, achos mae'n dene ofnadw."

Draw yr aeth e.

"'Ma hi i ti," medde Jim. "Edrych pa mor dene yw hi. Mae fel rhaca, dim ond esgyrn yw hi, a wi wedi bod wrthi ers wthnos yn treial popeth. Fe gas hi 'Bob Martins' 'da fi dydd Llun, wedyn fe ges i bils 'da'r fet iddi dydd Mawrth, gas hi injecshon dydd Mercher a moddion brown ddo'. Sa i'n gwbod beth arall alla i roi iddi."

Ac medde Sam, "So ti wedi trio bach o fwyd iddi, wyt ti?"

\* \* \*

Roedd Sam y Bwtshwr yn dipyn o ganwr ac yn berchen ar lais tenor hyfryd. Caneuon gwerin a baledi oedd ei ddiddordeb, ac er ei fod wedi cystadlu llawer mewn eisteddfodau pan yn ifanc, dim ond ar nos Sadwrn, ar ôl cwpwl o whisgis, y byddai'n canu ei hoff ganeuon gwerin bellach.

Roedd gwasanaeth angladdol y diweddar Samuel Evans yn cael ei gynnal yng Nghapel Penrhiw, Drefach-Felindre, cyn i'r capel gael ei symud i Sain Ffagan, ac fel mae pawb yn gwybod, ni fu organ nag unrhyw offeryn arall ym Mhenrhiw erioed, ac fel arfer byddai Tom Morgan yn bresennol i bitsho'r emyn a chodi'r canu.

Roedd y capel bach yn llawn i angladd Samuel Evans ac wrth i'r gweinidog gyhoeddi'r emyn cyntaf, sylweddolodd nad oedd Tom Morgan yn bresennol. Ond fe welodd e fod Sam y Bwtshwr yno, ac o wybod fod Sam yn dipyn o ganwr gwerin, dyma fe'n troi at Sam.

"Mr Jones," medde fe, "a wnewch chi ei phitsho hi?"

A dyma Sam yn bwrw iddi,

"Mae nghyfeillion adre'n myned,
Hob y deri dan do!"

★ ★ ★

Mae'n debyg i bregethwr arall yn yr un capel adeg gwasanaeth bore Sul, gyhoeddi'r emyn gyntaf ac yna meddai, "Wili Jones, yn absenoldeb ein codwr canu y bore yma, a wnewch *chi* ei tharo hi?"

"Gwnaf, gwnaf," medde Wili. "Os daw hi ffordd hyn!"

★ ★ ★

Mae'n rhyfedd sut y mae ambell un yn ailadrodd yr un ymadrodd dro ar ôl tro heb sylweddoli hynny.

Cofiaf yn dda am un yn y pentref fyddai bob amser yn dweud 'Dim whare!' yn gyson.

"Mae'n dwym iawn heddi Benja."

"Dim whare!"

"Fe aeth y car 'na heibio'n gloi."

"Dim whare."

Ond roedd un person yn byw yn Waungilwen a'i hoff ymadrodd e oedd 'Fe alle fod yn waeth!' Beth bynnag ddywedai rhywun arall wrth Jos am unrhyw un mewn unrhyw sefyllfa, ei ateb e o hyd ac o hyd oedd "Fe alle fod yn waeth!"

Roedd Jos yn eistedd gyda rhai o'i ffrindiau un noson ar Sgwâr y Gât, sgwâr y pentref lle torrwyd gât gan Beca ganrif ynghynt, a dyma ffrind arall yn dod heibio gyda'r newyddion fod Jac Brynbach wedi ei ladd.

"Beth ddigwyddodd?" holodd Jos.

"Fe ddath Ianto Llainlas getre o'r gwaith yn gynnar neithiwr a dal ei wraig yn y gwely gyda Jac Brynbach, ac mae e wedi'i ladd e."

"Fe alle fod yn waeth," meddai Jos.

"Fe alle fod yn waeth, fe alle fod yn waeth! Shwt *alle* hi fod yn waeth?" holodd un o'r criw.

Ac meddai Jos, "Fe alle fod yn waeth, achos *fi* odd gyda hi echnos!"

★ ★ ★

Mawr oedd y siarad ar un cyfnod pan oeddwn i'n grwt, a minnau heb fod yn deall beth oedd beth ar y pryd, am sgandal gwrywgydiaeth lleol. Mawr oedd y dyfalu pwy oedd yn rhan o'r digwyddiadau, a llawer cyhuddiad di-sail yn hedfan o gwmpas y pentref.

Ond yn ôl hen wâg lleol, roedd hanner coron ar yr hewl wrth Sgwâr y Gât ers pythefnos a gormod o ofon ar neb i'w godi e lan!

★ ★ ★

Am flynyddoedd lawer bu Gwynfor Jones ac Eirwyn Maesyberllan yn dilyn tîm pêl-droed Dinas

Abertawe. A bob Sadwrn fel y cloc byddai'r ddau'n teithio o Drefach i Gae'r Vetch yn Abertawe i weld yr Elyrch yn chwarae. Dyma'r cyfnod pan oedd Abertawe yn yr Adran Gyntaf a thîmau fel Lerpwl ac Arsenal yn chwarae yno.

Roedd gan Eirwyn gefnder yn byw yn Tanglwst yn ymyl Capel Iwan a hwnnw wedi ei fagu 'dan badell' braidd. Hynny yw, roedd e wedi treulio'i oes adref gyda'i dad a'i fam ar y fferm. Gweithio o fore tan nos, a heb fod llawer pellach na Chastell Newydd erioed.

"Dere gyda Gwynfor a fi am drip i Abertawe i weld gêm ffwtbol," medde Eirwyn wrth ei gefnder. "Fe wneith fyd o les i ti gael gweld y byd."

"Ond, sa i 'di gweld gêm o ffwtbol yn 'y mywyd," oedd ateb ei gefnder.

"Sdim ots am hynny, fe eglurwn ni'r cwbwl iti achos fe fyddwn ni gyda'n gilydd yn y crowd."

A bant â'r tri i Gae'r Vetch un Sadwrn, a dyma'r gêm yn dechrau.

"Beth maen nhw'n trio'i neud, te?" oedd y cwestiwn cynta.

"Pam ma jersi felen gyda hwnco fanco ar ben ei hunan?" oedd y cwestiwn nesa.

Ac meddai Eirwyn, "Dai Davies yw enw'r boi 'na sy'n gwisgo'r jersi felen, a'i job e yw stopo'r bêl i fynd mewn i'r gôl, sef y pishyn pren hir 'na sy ar ben y ddou bostyn 'na, a ma fe'n cal pum can punt yr wythnos am wneud hynny."

"Pum can punt bob wythnos!" meddai'r cefnder, mewn syndod mawr. "'Na beth yw gwastraff arian, achos mae saer coed gyda ni yn Tanglwst alle bordo'r cwbl lan iddyn nhw gyda hardbord, unwaith ac am byth, am ugain punt!"

★ ★ ★

Nos Wener oedd noson y pictiwrs yn Neuadd y Ddraig Goch yn Felindre. Oes aur y ffilmiau *cowboys and indians* oedd hi, a heb os, fe welson ni ugeiniau o ffilmiau cowbois yn y cyfnod hwnnw.

Roedd Mr Bliss yn dangos yr un ffilmiau yn Llanybydder ar nos Fawrth, Pencader nos Fercher, Felindre nos Wener a Chastell Newydd Emlyn nos Sadwrn. Roedd hyn wrth gwrs cyn dyddiau'r sgrîn deledu.

Roedd gwas fferm yn ymyl Pencarreg yn mynd i'r pictiwrs yn Llanybydder bob nos Fawrth. Ond un wythnos, sylwodd Mr Bliss ei fod e ym Mhencader ar y nos Fercher ac yna yn Felindre ar y nos Wener yn gweld yr un ffilm. Ar y ffordd i mewn i weld y ffilm eto yng Nghastell Newydd ar y nos Sadwrn, dyma Mr Bliss yn gofyn iddo pam yn y byd roedd e'n dod i weld y ffilm am y bedwaredd waith yr wythnos honno.

"O," medde'r gwas ffarm o Bencarreg, "mae

'na ran yn y ffilm pan ry'n ni'n sefyll ar blatfform mewn stesion ac yn gweld y ferch 'ma ar y platfform yr ochor draw yn tynnu ei dillad oddi amdani, ac yna'n syden mae trên yn dod heibio a so ni'n gweld dim wedyn."

"Iawn," meddai Mr Bliss. "Ond pam ry'ch chi 'ma heno 'to?"

"Wel," meddai'r gwas fferm. "Ma'r trên 'na'n mynd i fod yn hwyr un o'r nosweithie 'ma!"

★ ★ ★

Roedd cwmnïau drama fel Edna Bonnel a Dan Matthews ac eraill yn dod yn gyson i berfformio comedïau Cymraeg yn Neuadd y Ddraig Goch ym mhentref Felindre. Byddai 'Boxing Night' yn noson boblogaidd iawn.

Ond un flwyddyn yng nghanol mis Mehefin fe gymerodd gwmni teithiol Saesneg y neuadd am wythnos gyfan gan berfformio gwahanol ddramâu Shakespeare bob nos. Doedd yr ardal erioed wedi profi unrhyw beth tebyg i hyn, a'r mwyafrif o'r trigolion heb glywed am yr awdur Saesneg hwn. Mawr fu'r trafod yn yr ardal, ac yn enwedig wrth siopa yn Siop Albert yng nghanol y pentref.

Dyma Albert y perchennog yn gofyn i Myrddin Tŷ'r Lôn, un o'i gwsmeriaid, "Oeddet ti Myrddin yn hoffi *Hamlet*?"

"Na," medde Myrddin. "Ma well 'da fi'r Castellas ry'ch chi'n gwerthu."

★ ★ ★

Fe ddechreuodd Mam a fi yn Ysgol Penboyr ar yr un diwrnod! Fi fel disgybl pump oed a Mam fel cogyddes gyntaf yr ysgol pan ddechreuodd gwasanaeth cinio ysgol ar ôl y rhyfel. Bydd cenedlaethau o blant Ysgol Penboyr yn cofio am fwyd blasus Mrs Griffiths y Cwc.

Y broblem oedd fod Mam yn gwybod beth oeddwn i'n ei hoffi neu'n ei gasáu. Doeddwn i ddim yn hoff o banas na chabej, pwdin peips na llus brogáid, fel y galwen ni'r plant y tapioca a'r sego.

Miss Davies Tŷ Gwyn oedd athrawes y babanod, ac fel pob athrawes babanod, rhan o'r cwricwlwm y pryd hwnnw oedd dysgu'r plant i fwyta popeth, ac yn aml iawn pan fyddai Mam yn rhannu'r bwyd ac yn gofalu nad oedd panas ar fy mhlât i, byddai Miss Davies yn gweiddi, "Mrs Griffiths, ry'ch chi wedi anghofio rhoi panas ar blât y crwt bach 'ma!"

Nid oedd David Tom Griffiths, neu Dai Twm Gelligynnar fel y galwen ni e, yn hoffi cabej chwaith, ac un diwrnod fe adawodd e'r cabej ar ôl ar ochr ei blât, a dyma Miss Davies yn dechrau arni, "David Tom, ma rhaid ichi fyta'ch cabej. Wyddech chi bod plant bach yn yr Affrig yn starfo? Bydden nhw'n falch iawn, iawn i gael eich cabej chi i fyta."

Y diwrnod wedyn fe ddaeth David Tom ag amlen fawr frown gyda fe i'r ysgol.

"Beth yw hon?" holodd Miss Davies.

"Sa i'n lico cabej Miss, a ma Dad wedi gweud y gallwch chi hala nghabej i yn yr amlen hon i'r plant bach 'na yn Affrica!"

Bydd llawer yn cofio Twm Shot y trempyn yn dod o gwmpas yr ardal, a bydde Twm yn casglu poteli wrth alw yn y tai, achos y pryd hwnnw byddai ceiniog neu ddwy am fynd nôl â'r poteli, yn enwedig y poteli pop a'r cwrw.

Dyma Twm yn cnocio mewn tŷ parchus yn y pentref un diwrnod a dyma'r wraig sidêt, ond hynod o salw, yn dod i'r drws.

"Oes fflagons neu boteli cwrw 'da chi alla i eu cael i fynd â nhw nôl?" gofynnodd Twm.

"Nag oes wir! Ydw i'n edrych fel menyw sy'n yfed ac yn prynu fflagons?"

"Wel," meddai Twm, gan edrych ar ei hwyneb. "Falle bod hen boteli finegr 'da chi, te?"

Roedd Laura'n cadw siop Bargod Stores ym mhentref Drefach, a siop fach dda oedd hi hefyd, gan ei bod hi'n gwerthu bwydydd a llysiau a ffrwythau o bob math. Un go llym ei thafod oedd May Tegfan, byth a beunydd yn dod i brynu un peth ar y tro gan ei bod hi'n byw mor agos.

Un diwrnod dyma May fewn i'r siop.

"Laura," medde hi, "oes bananas 'da chi?"

"Jiw, nag oes," medde Laura. "Fe werthes i'r bwnshyn diwetha gynne."

"Oes orenjis 'da chi, te?" holodd May ymhellach.

"Wel, 'na beth od," medde Laura. "Fory mae Jones and Davies, Llandysul yn galw gydag orenjis ffresh."

"Dewch â tair persen i fi, te," meddai May, a'i hamynedd yn dechrau pallu.

"Credwch chi ddim," meddai Laura. "Dim ond dwy wedi pwdru sy ar ôl yn y bocs."

"Oes 'fale gyda chi, te?" gwaeddodd May.

"Oes, oes, ma digon o 'fale 'ma."

"'Fale cadw?" holodd May.

"Ie, 'fale cadw," medde Laura.

"Wel, cadwch nhw, te!" medde May.

★ ★ ★

Roedd cynnwys enwau llefydd mewn limrigau yn beth poblogaidd iawn, ac mae dau limrig enwog yn cynnwys enw dau le yn yr hen ardal. Mae'r ddau hyn ymhlith y limrigau cyntaf a ysgrifennwyd yn y Gymraeg.

Waldo Williams, mae'n debyg, oedd awdur y limrig hwn.

Hen fachan yn byw yn Llangeler
Aeth lawr un noson i'r seler,
'Rôl chwilio a thwrw
Cas gasgen o gwrw,
Dywedodd, 'Dy ewyllys a wneler.'

Mae pentref bychan â'r enw rhyfedd Pentrecagal, rhwng Felindre a Chastell Newydd Emlyn, ac mae wedi cael ei anfarwoli ym maes y limrigau Cymraeg. Mae'n un o'r goreuon yn fy marn i. Y diweddar ddwy chwaer Nan a Neli Davies o Dregaron a'i lluniodd.

Mae gwraig fach yn byw 'Mhentrecagal
Yn cerdded ar bwys dwy ffon fagal;
Mae'n eiste'n y tŷ
Yn gweu hosan ddu,
A'i phen hi'n mynd wigil-di-wagal.

★ ★ ★

Y plwyf nesaf at blwyf Llangeler a Phenboyr yw Cilrhedyn. Mae hwn yn limrig da er na wyddom pwy yw'r awdur.

Aeth menyw o ardal Cilrhedyn
At y meddyg 'rôl llyncu gwybedyn,
Ond o edrych 'n ei gwddwg
Doedd dim yn y golwg;
A geswch lle 'drychodd e wedyn!

★ ★ ★

# FFERMWYR

Yn y dyddiau pan oedd mart Caerfyrddin yng nghanol y dref, lle poblogaidd iawn oedd y Tanners dros y ffordd i'r mart, ac yno y bydde'r ffermwyr yn crynhoi i 'lwchu'r whistl', yn enwedig ar ôl diwrnod da o werthu.

Fel llawer o dafarndai flynyddoedd yn ôl, roedd yna ddrych mawr ar draws ambell wal ac enw'r bragwyr drosto. Roedd un felly ar wal lownj y Tanners a'r ddau ffarmwr 'ma o Drawsmawr yn eistedd pen arall i'r ystafell, gyferbyn â'r drych. Roedd y ddau wedi bod wrthi'n tanco ers amser cinio ac ro'n nhw hyd eu styden, a daeth yn hen bryd iddyn nhw fynd adref i odro. Yn sydyn, meddai un wrth y llall, "Dai, ma dou foi draw fanco sy 'run sbit â ni'n dou."

"Jawch, o's, ti'n iawn, a maen nhw'n gwisgo'n debyg i ni 'fyd."

"Wi'n mynd draw i weld pwy y'n nhw," medde Dai a chodi ar ei draed.

"Na," meddai Wil, "ishte lawr, achos ma un ohonyn nhw ar ei ffordd draw aton ni!"

★ ★ ★

Pâr bach o ochrau Tre-lech yn dathlu eu priodas arian ac wedi bod yn gweithio'n galed iawn ar y fferm. Roedd hynny, bellach, yn dangos ar wedd y ddau ohonyn nhw. Mart Caerfyrddin oedd y man pellaf i'r ddau fod, a heb gysgu oddi cartref erioed nes i'r ferch benderfynu mynd â nhw i Lundain am benwythnos, i ddathlu eu pen-blwydd priodas.

Bant ar y trên o Gaerfyrddin, a'r ferch gyda nhw, a chael tacsi wedyn i westy wrth ymyl Paddington. Aeth y ferch a'r fam i mewn i fynedfa'r gwesty tra roedd y tad yn talu dyn y tacsi ac yn cario'r bagiau.

Ar ôl mynd i fewn, sylwodd y fam ar ddau ddrws metal yn agor ac yn cau yn y wal o'u blaenau. Dyma rhyw ddyn tew â golwg frwnt arno, gyda gwallt hir, ac yn gwisgo jins a chrys T llawn twlle, yn mynd at y ddau ddrws 'ma. Yna, gwasgodd fotwm a dyma'r ddau ddrws yn agor, yntau'n mynd i fewn, a'r ddau ddrws yn cau. Safodd y fam yno'n stond am ychydig, ac yna'n sydyn dyma'r ddau ddrws yn agor eto a dyn ifanc glân yr olwg, mewn siwt smart yn cerdded allan.

"Glou," medde'r fam wrth y ferch, "cer i nôl dy dad iddo fe gal trio'r mashîn 'co!"

★ ★ ★

Bydd llawer un yn cofio'n dda pan ddechreuodd y Saeson o ganol dinasoedd Lloegr brynu ffermydd yng nghefn gwlad Sir Gaerfyrddin. Doedd y rhan fwyaf ohonyn nhw'n gwybod fawr ddim am ffarmo.

Roedd un Sais yn chwilio am fferm yn ardal Talog, ac yn teithio ar hyd yr hewlydd cul pan welodd e ffermwr lleol gyda bwced yn bwydo anifail ym mwlch y cae.

Dyma'r Sais yn stopio'i gar, dod allan a gofyn i'r ffarmwr pam nad oedd cyrn gyda'r fuwch roedd e'n ei fwydo.

"Wel," meddai'r ffermwr, "mae ambell fuwch yn cael ei geni heb gyrn. Neu falle byddwn ni'n llifio'r cyrn bant pan ma nhw'n loi bach."

"A beth yw'r rheswm nad oes cyrn gyda'r fuwch ry'ch chi'n bwydo nawr?" holodd y Sais.

"Mae'r ateb yn syml," meddai'r ffermwr. "Ceffyl sda fi fan hyn!"

★ ★ ★

Roedd ambell fferm yn le diflas am fwyd amser cynhaeaf gwair neu ddiwrnod dyrnu, a hynny ran amlaf am fod aelodau'r teulu'n rhai mên a thyn iawn. Lle felly oedd un o'r ffermydd ochr draw i Meidrim.

Un flwyddyn adeg dyrnu, dyma un o'r bois yn troi at wraig y tŷ amser bwyd ac medde fe, "Mrs

Jones, ry'ch chi wedi rhoi menyn ar ddwy ochor y dafell 'ma sy 'da fi."

"Peidwch â gweud," medde hi yn llawn gofid.

"Wel," meddai'r gweithiwr. "Ma'r ddwy ochor 'run peth, beth bynnag!"

★ ★ ★

'Rôl slafo'n y beudy a'r sgubor,
Yn drewi o dail ac oel tractor,
Daw Beti fin nos
Drwy iet Bwlch-y-rhos
Yn smelo o bowdwr Max Factor.

W Leslie Richards

★ ★ ★

Fe ddaeth Leekes i Cross Hands, a phawb yn heidio yno i gael bargen. A dyma'r ffermwr 'ma o dopie Gwernogle'n mynd lawr i brynu sinc newydd am fod ei fferm wedi ei chysylltu â'r *mains* dŵr o'r diwedd.

"Ydych chi isie sinc gyda plyg?" holodd dyn Leekes.

"Pam?" meddai'r ffermwr. "O's rhai lectric 'da chi nawr, te?"

★ ★ ★

Mae'n debyg fod ffermwyr Sir Gaerfyrddin mor deit â'r Cardis, ac yn anfodlon rhoi eu dwylo yn eu pocedi'n aml i gyfrannu tuag at achosion da.

Roedd tri ffermwr o ardal Llangynin yn mynd am bythefnos yn flynyddol i yfed dŵr iachus Llanwrtyd, ac yn gyfarwydd â mynd i'r Capel Methodist yng nghanol y dref. Ar y Sul arbennig hwn, roedd y tri'n eistedd gyda'i gilydd yn y sedd yng nghanol y llawr a'r lle'n orlawn o ymwelwyr.

Cyn y bregeth, fe gymerodd y gweinidog fantais o'r ffaith fod y lle'n llawn pobl o bob rhan o dde Cymru ac aeth ati i egluro ei fod yn agor apêl ariannol y Sul hwnnw er mwyn cael cronfa i atgyweirio to'r capel.

Pwysodd yn drwm ar bawb a oedd yn y gynulleidfa i roi yn hael ac i fynd yn ddwfn i'w pocedi wrth iddo gyhoeddi'r casgliad.

Yn sydyn, gwelwyd cryn gyffro ar ganol y llawr.

Roedd un o ffermwyr Sir Gaerfyrddin wedi ffeinto a'i ddau ffrind yn gorfod ei gario fe mas.

★ ★ ★

Dai Lewis, yr arwerthwr poblogaidd o Bontweli, wrthi'n gwerthu mewn ocsiwn ar fferm yn ymyl Llanllwni ac yn sylwi fod dyn dierth yn bido ac yn prynu popeth bron. A dyma Dai'n troi at ffermwr lleol a gofyn, "Oes digon o arian 'da hwn, te?"

"Mi ddylse fod," medde'r ffermwr, "achos dyw e byth yn talu am ddim!"

★ ★ ★

Dyw ffermwyr Sir Gâr fel y dywedes i, ddim yn hoff iawn o orfod talu am bethe. Yn fwy amal na dim, fydde gwell 'da nhw dalu trwy roi pownd o fenyn neu rhywbeth tebyg, yn hytrach nag arian.

Dyna o'dd un ffarmwr yn arfer ei wneud gyda Thomas yng ngarej Pontantwn. Ar ôl bod â'i gar yn y garej, bydde fe'n dod â dwsin o wye i Thomas bob tro a dweud diolch yn fowr, a'r un car fuodd gyda fe am flynyddoedd maith.

Ond, fe ddaeth yr amser pan roedd hi'n orfodol i roi MOT i bob car, ac wrth gwrs gorfod i'r ffermwr bach fynd â'i hen gar at Thomas i gael MOT. Edrychodd Thomas ar ei gar, ac medde fe, "Wi'n credu bod well iti ddod lawr â'r shed ffowls a'i gadel hi gyda fi'r tro hyn!"

★ ★ ★

Dau ffermwr yn ardal Meidrim yn cael eu poeni gan y brain adeg hau hadau bob blwyddyn, a'r ddau ohonyn nhw'n credu'n gryf yn y ddamcaniaeth o roi bwbach y brain yng nghanol y cae i gadw'r brain bant. Bob blwyddyn, byddai'r ddau'n defnyddio'r un hen het a chot a throwsus, a bob blwyddyn doedd y naill hen fwbach fel y llall yn cael fawr o effaith.

Ond, un flwyddyn, dyma William Cefn Pant yn mynd ati o ddifri i wneud bwbach newydd sbon, "A chi'n gwbod beth, bois?" medde fe yn y New Inn un noson. "Roedd y bwbach newydd mor real, roedd y brain hyd yn oed yn dod *nôl* â'r hade ethon nhw llynedd!"

★ ★ ★

Hoffai Gwynfor Evans adrodd stori am yr hen Ddaniels, Pont-ar-Dywi a arferai weithio yn Nhai Gerddi Gwynfor yn Llangadog:

Mab i sgweier bach oedd Daniels ac wedi etifeddu tair fferm. Ond, gan mai unig blentyn oedd e, cafodd ei sbwylio'n lân gan ei fam, ac ymhen amser datblygodd syched mawr arno a gorfod iddo werthu ei eiddo i dalu am yr holl ddiota.

Daniels ei hun oedd yn adrodd y stori amdano fe'n mynd i weld Dr Lawson yn ei hen ddyddiau, gan achwyn poen ofnadwy yn ei wddwg.

Agorodd Daniels ei geg yn llydan er mwyn i'r doctor edrych i lawr ei wddwg gyda help golau bach.

"Sa i'n gweld dim byd," meddai Dr Lawson.

"'Na beth od," meddai Daniels, "achos mae tair fferm wedi mynd lawr 'na rhywle!"

# DYNION A MENWOD

Tair menyw o Gapel Closygraig yn cerdded ar y prom yn Aberystwyth ar drip Ysgol Sul, a dyma 'na wylan, a oedd ar un o'r lampau golau, yn gollwng ei llwyth lawr ffrynt ffrog haf flodeuog un o'r merched.

"Fe reda i miwn i'r Belle View Hotel fan hyn nawr i nôl papur tŷ bach," dywedodd un o'r merched.

"Paid â boddran," meddai'r llall, "achos bydd yr wylan siŵr o fod wedi hedfan bant erbyn ddei di mas!"

★ ★ ★

Mae Saesneg ambell un yn Sir Gaerfyrddin yn naturiol yn eitha clymyrcedd, gan mai anaml iawn y byddan nhw'n defnyddio'r iaith yn eu bywyd bob dydd.

Dyna oedd hanes dwy hen ferch ganol oed, dibriod a phlaen yr olwg ym mhentre bach Caeo ger Llanwrda, a fawr neb o'r dynion lleol wedi dangos diddordeb ynddyn nhw ar hyd y blynyddoedd.

"Wyt ti wedi clywed am y bom ddiweddaraf 'ma?" dywedodd un wrth y llall yn y Swyddfa Bost yn y pentref un bore. "Ro'dd e'n dweud ar y radio y bydden nhw'n dod â'r bom mewn eroplen a'i gadel hi mas, ac fe gawn ni'n hwthu wedyn i *maternity*!"

"Jawch," atebodd y llall, "ma gobeth i ni'n dwy o hyd te, pwy bynnag fydd y tad!"

★ ★ ★

Eisteddwn yn esmwyth mewn cader
Eleni ar bromenâd Aber,
Daeth gwylan fawr wen
I oedi uwchben,
Ac yna gwnaeth 'run peth ag arfer!

D H Culpitt

★ ★ ★

Wrth eistedd ar y prom un prynhawn yn bwyta bobo hufen ia ac edrych allan dros y môr, dyma un o'r tair yn troi at y ddwy arall ac medde hi, "Jiw, edrychwch ar yr holl ddŵr 'na ferched!"

"Ie, a chofiwch," medde un o'r lleill, "dim ond 'i dop e chi'n gallu gweld!"

★ ★ ★

Trip Ysgol Sul Capel Bethel, Drefach yn mynd i Borthcawl a rhai o'r menywod yn mynd i fracso yn nŵr y môr. Ar y ffordd i lawr i'r dŵr, dyma un ohonyn nhw'n sylwi bod traed Lisi Tŷ Draw yn frwnt iawn ac yn ddu ofnadw rhwng bysedd ei thraed.

"Jiw, Lisi," medde hi, "ma'ch tra'd chi'n gythrel o frwnt!"

"Wel!" medde Lisi. "Llynedd fe ath y trip Ysgol Sul i Lanwrtyd, a chi'n gweld, does dim môr yn Llanwrtyd!"

★ ★ ★

Roedd Hubert, mab Martha a William John, wedi symud mlân yn y byd. Roedd wedi gadael cartref a mynd i fyw i Lundain a phriodi yno, gan adael ei dad a'i fam yn eu bwthyn bach gwyngalchog, heb fod ymhell o bentref Gwynfe ar lethrau'r Mynydd Du. Roedd dwy fuwch, cwpwl o ddefed, gafar a hanner dwsin o ieir yn ddigon i gynnal eu bywyd tra chyntefig.

O wybod am ddiffyg anghenion sylfaenol yn ei hen gartref, fe anfonodd Hubert, y mab, ddrych bychan iddyn nhw yn anrheg un Nadolig a hwnnw'n mesur rhyw saith modfedd wrth dair modfedd.

Agorodd William John y parsel ac edrychodd ar y drych.

"Ma Hubert wedi hala llun o'i hunan i ni Martha, a'r argol fowr, ma fe wedi heneiddio'n ofnadw."

"Dere weld!" gwaeddodd Martha, gan edrych ar y drych. "Jiw, jiw, sdim rhyfedd, os yw e'n byw gyda hen soga salw fel hon!"

★ ★ ★

Fe fuodd Jac y Gof yn Gynghorydd Dosbarth a Sir am flynyddoedd lawer.

Ymhen ychydig ar ôl cael ei ethol yn gynghorydd, sylweddolodd Jac nad oedd llonydd i'w gael, gan fod pobl yn galw'n y tŷ, ddydd a nos, i ofyn am help gyda hyn a'r llall. Braidd bod llonydd i fynd i'r tŷ bach, yn ôl Jac.

Ond, dyma Jac yn creu cynllun a fu o help mawr iddo.

Bydde fe'n hongian ei got fawr a'i het yn y pasej bob amser. Pan ddeuai cnoc ar y drws, byddai Jac yn gwisgo'i got a'i het cyn ateb. Yna, os oedd rhywun wrth y drws, nad oedd Jac isie iddo ddod i mewn, byddai'n dweud, "Wi ar fy ffordd mas!"

Ac os oedd rhywun yno roedd e'n ei groesawu, byddai'n dweud, "Dowch miwn, wi newydd gyrraedd adre!"

★ ★ ★

Maen nhw'n dweud fod 'dwl hen yn waeth na dwl ifanc' yn aml. Mae hyn i'w weld weithie pan fod hen gwpwl yn syrthio mewn cariad ac yn priodi.

Roedd Sam o Lwynhendy a Lisi o Bynea ymhell dros eu saithdegau pan gwrddon nhw â'i gilydd, penderfynu priodi ac yna mynd ar eu mis mêl i westy ar y prom yn Llandudno.

"Shwt joiest ti, Sam?" holodd un o'i ffrindie yng Nghlwb Rygbi Llwynhendy ar ôl iddo ddod nôl o Landudno. "Shwt ath y mis mêl?"

"Weda i wrthoch chi, bois," oedd ateb Sam. "Fe ethon ni i'r stafell wely, ac fe ges i bach o sioc pan dynnodd y wraig ei danne dodi mas a'u rhoi nhw yn y drar ar bwys y gwely. Wedyn, tynnodd hi ei wíg bant a'i rhoi hi yn y drar, yna ei *hearing aid* a'i rhoi hi yn y drar. A 'ma fi'n gofyn iddi, 'Lisi, ble ti am i fi gysgu, yn y gwely neu yn y drar?'!"

★ ★ ★

Mae bachgen gerllaw Rhydargeie
A sbotyn o faw ar 'i dei e,
Ond gwell gennyf fi,
Fel llenor o fri
Yw peidio â chwilio am feie.

D Jacob Davies

★ ★ ★

Mae bois Brynaman yn enwog iawn am ware trics ar ei gilydd. Roedd dau ffrind, a oedd yn byw drws nesa i'w gilydd yn Heol Llandeilo, yn manteisio ar bob cyfle i godi gwrychyn y naill a'r llall.

Un noson, roedd gwraig un o'r bois ar ei ffordd *mas* o'r gawod yn y stafell molchi, a'i gŵr ar y ffordd *mewn* i'r gawod, pan ganodd cloch drws y ffrynt.

"Paid â becso," medde'r wraig, "fe roia i'r tywel 'ma amdana i ac fe af i lawr i ateb y drws. Cer di i gael cawod."

Lawr yr aeth hi ac agor y drws, a phwy oedd yno ond Eifion drws nesa.

Gwelodd Eifion ei gyfle wrth ei gweld hi â dim

ond tywel amdani.

"Fe gewch chi hanner can punt 'da fi'r funud hon," medde Eifion, "os gadewch chi'r tywel 'na i gwmpo i'r llawr am ychydig o eiliadau."

"Pam lai?" meddyliodd hi. "Ffordd fach ddigon rhwydd i wneud hanner can punt." A lawr aeth y tywel!

Cafodd ei hanner can punt ac fe gaeodd y drws.

"Pwy oedd yn y drws gynne fach?" meddai'r gŵr wedyn ar ôl dod mas o'r gawod.

"O, Eifion drws nesa," atebodd y wraig.

"A wedodd e rhywbeth obiti pryd bydde fe'n dod nôl â'r hanner can punt 'na roies i fenthyg iddo fe yn y clwb nos Sadwrn?"

★ ★ ★

Dyma ddywedodd W.Leslie Richards am bobl Brynaman:

### Pobol Od

Ma boi bach yn byw ym Mrynaman
Sy'n lico neud popeth ei hunan,
Gall smwddo a golchi
A gwinio a phobi,
A jiw, 'na lyfli mae'n cwcan.

★ ★ ★

Ym mhentref Cwmduad roedd cwpwl bach teidi, ond tawel iawn, yn byw.

Roedd y ddau'n dechrau tynnu mlân ond yn dal yn ddi-blant. Doedd dim amdani felly ond mynd ati i fabwysiadu, ac yn dilyn llawer o drafferthion, fe lwyddon nhw i fabwysiadu bachgen bach o Ffrainc.

Fe ddechreuodd y cymdogion sylwi fod y tad yn mynd i ddosbarth nos yng Ngholeg Pibwrlwyd, Caerfyrddin bob nos Lun.

"Beth ti'n neud ym Mhibwrlwyd bob nos Lun, te?" holodd un o'i gymdogion.

"Wi'n mynd yno i ddysgu Ffrangeg," meddai.

"Pam wyt ti am ddysgu Ffrangeg?"

"Wel, fel bo fi'n gallu deall beth fydd y babi'n weud pan fydd e'n dechre siarad!"

★ ★ ★

Un o'r mannau gorau i fynd mas i fwyta mae'n debyg yw'r Stradey Park Hotel yn Llanelli, ond ei fod e'n eitha drud. Wedi'r cwbwl, mae'n westy pump seren. Yno felly yr aeth y ffarmwr o Langyndeyrn a'i wraig, ond heb wybod am gostau uchel y lle. Wedi'r cwbwl, roedd e'n dathlu ei ben-blwydd yn hanner cant oed.

Ar ddiwedd y noson, fe gafodd y bil – £59.99! A dyma fe'n galw'r weiter.

"Pam ma'r bil mor uchel â hyn?" gofynnodd. "Dim ond prif gwrs geson ni a bobo lased o win."

"Ond roedd pethe eraill i chi os oeddech chi isie nhw," meddai'r weiter bach. "Roedd cnau, crisps, bara menyn a dŵr ar y ford."

"Ond, naethon ni ddim twtsh â nhw."

"Naddo – ond ro'n nhw 'na os o'ch chi isie nhw."

"Reit," meddai'r ffermwr wrth y weiter bach. "£59.99! Gallwch chi dynnu £30 am eich bod chi wedi trio tshato'r wraig lan a mynd mas 'da hi."

"Ond, wnes i ddim shwt beth!" medde'r weiter bach.

"Naddo," meddai'r ffermwr, "ond roedd hi 'na os o'ch chi isie hi!"

★ ★ ★

"Mae'n rhyfedd sut mae'r byd 'ma wedi newid," oedd sylw un hen löwr wrth ei ffrind, wrth bwyso yn erbyn y wal yng nghanol pentre Pontyberem, yn edrych ar y byd yn mynd heibio.

"Slawer dydd roedd rhieni â lot o blant 'da nhw – ond heddi, y plant sy â lot o rieni 'da nhw!"

★ ★ ★

"Marged, wi'n gofidio am y ferch hena. O'dd hi'n dipyn o un am ddynion cyn iddi gael y dröedigaeth sydyn 'na ddechre'r wythnos. Sdim llawer o bobl

Tymbl yn cael tröedigaeth y dyddie hyn! Roedd hi ym mreichie'r diafol echnos, medde hi. Yna, ym mreichie'r Arglwydd neithiwr, medde hi. Gofidio ydw i ym mreichie pwy fydd hi nos yfory!"

# MEDDWI

Fe gafodd Ronw James dipyn o drafferth gyda bois meddw pan oedd e'n blisman yn Abergwili a thref Caerfyrddin. Ond, doedd neb tebyg i Ronw am eu sorto nhw mas ar nos Sadwrn.

Roedd y tri 'ma o Meidrim wedi ei dala hi'n rhacs un nos Sadwrn, a gorfod i Ronw gydio yn y tri ar Sgwâr Millets yng nghanol y dref.

"Nawr te," meddai Ronw wrth y cyntaf. "Beth yw dy enw di?"

A dyma'r crwt yn edrych rownd ac meddai, "F.W. Woolworth."

"Reit," meddai Ronw gan droi at y llall, "a beth amdanot ti? Beth yw dy enw di?"

A dyma hwnnw eto'n edrych o gwmpas ac yn ateb, "Mark Spencer."

"Iawn," meddai Ronw, gan droi at y boi diwethaf. "A phwy wyt ti?"

A dyma'r trydydd yn edrych o gwmpas, ac meddai, "Halifax Building Society!"

★ ★ ★

Flynyddoedd yn ôl roedd angen i bob plismon fod yn barod i ddelio gyda holl drics bois y wlad ar nos Sadwrn yn y dref, yn enwedig bois Pencader. Mae'n debyg i un hen blismon gael ei dwyllo'n llwyr un nos Sadwrn wyntog iawn, ac yntau wedi gorfod arestio un o fois Pencader am fod yn feddw. Dyma fe'n ei fartsho fe lan Heol Awst am Orsaf yr Heddlu yng Nghwrt y Brodyr.

Yn sydyn, dyma'r crwt o Bencader yn dweud, "Wi wedi colli nghap. Pan arestoch chi fi gynne, fe hwthodd y gwynt 'y nghap i bant wrth ymyl Millets. Ma wastod drafft ar gornel Millets. Alla i fynd nôl i'w mo'yn e, plîs? Dim ond bore 'ma brynodd mam e'n newy' i fi."

"Hy!" medde'r hen blismon. "Wi'n nabod dy drics di, wi'n gwbod yn iawn am drics bois Pencader. Os adawa i ti i fynd i nôl dy gap, wela i ddim mwy ohonot ti. Na, aros di fan hyn, fe af i i nôl dy gap di!"

★ ★ ★

Hen ŵr bach yn byw ym Mhencader
Yn cysgu bob nos yn ei gader,
Un tro cafodd whisgi
Cyn myned i gysgu,
Gwnaeth fês anghyffredin o'i bader.

T. Hughes Jones/Idwal Jones

★ ★ ★

Roedd Stifin Bach wedi'i dal hi'n jogel, a gwelodd e fenyw'n sefyll wrth y bar yn yr Emlyn Arms yng Nghastell Newydd, a dyma fe'n mynd mlân ati a rhoi clamp o gusan iddi, ac yna sylweddoli y camgymeriad roedd e wedi ei wneud.

"Sori, sori," medde fe, "ro'n i'n meddwl taw'r wraig o'ch chi."

"Chi! Hy! Chi! Y dyn mwya salw, meddw, mwya twp a haerllug rwy wedi'i weld eriod!" gwaeddodd y fenyw.

Ac medde Stifin, "Jawch, ry'ch chi'n *swno*'n gwmws fel y wraig, ta beth!"

★ ★ ★

Dychmygwch un o'r bois meddw 'ma yn mynd yn glou iawn yn y car ar ben ei hunan, ac yn cael llond bola o ofan pan welodd e ddwnshwn mawr ar un ochor ac injan dân â'i chloch yn canu yn ceisio mynd heibio iddo ar yr ochr arall. O'i flaen, roedd mochyn yn rhedeg, a cheffyl yn galapo tu ôl iddo, a'r cwbl i gyd yn symud ar yr un cyflymdra.

Sut yn y byd oedd e wedi cyrraedd y fath bicil?

Wel, ddylse fe ddim fod wedi mynd ar y meri-go-rownd yn ffair Castell Newydd!

★ ★ ★

Cyn ailddatblygu canol tref Caerfyrddin yn y 1970au, roedd tafarn y Nelson yn sefyll yng nghanol

Stryd Goch, a phawb yn gallu cerdded, neu yrru, o gwmpas. Yn wir, fe allech chi fynd i mewn i'r Nelson trwy ddrws ffrynt, drws cefen a'r dryse ar y ddwy ochr.

Un nos Sadwrn, roedd Stifin Bach wedi dod i yfed i Gaerfyrddin, ac ar ôl galw mewn sawl tafarn fe aeth e mewn i'r Nelson. Gwelodd y landlord ei fod e wedi cael gormod yn barod ac fe ath ag e mas a'i adael e ar y pafin. Ymhen ychydig funudau, fe ddaeth Stifin nôl mewn trwy ddrws arall. Dyma'r landlord yn cydio yn ei goler ac allan ag e eto a'i adael ar y pafin. Ymhen dim, dyma Stifin i mewn unwaith eto, ond trwy ddrws arall. Dyma'r landlord yn dod ato a'i daflu allan eto. Ond dyma Stifin nôl, a'r tro hwn trwy un o'r drysau eraill, a chyn i'r landlord gael y cyfle i gydio yn ei war, medde Stifin, "Ry'ch chi'n berchen ar lot o dafarne yng Nghyfyrddin 'ma!"

★ ★ ★

Roedd Ronw ar shift nos un nos Sadwrn, ac fel pob plisman da roedd e'n cerdded y strydoedd er mwyn gwneud yn siŵr fod popeth yn iawn yng nghanol Caerfyrddin.

Wrth fynd lawr Heol Dŵr Fach, gwelodd e'r dyn meddw 'ma'n stablad wrth un o'r lampau, ac yn ceisio rhoi'r allwedd yn y postyn lamp ar ochor y pafin.

Ac medde Ronw wrtho fe, "Chi'n gwbod beth? Sa i'n credu bod neb getre!"

"O, o's te," medde fe, "achos ma gole mlân lan lofft!"

★ ★ ★

Roedd hi'n arferiad gyda bois Llanpumsaint i fynd i'r dre bob nos Sadwrn, a hynny yn y dyddiau pan oedd y rheilffordd yn rhedeg o Gaerfyrddin i Bencader a thrwy Lanpumsaint.

Bydden nhw fel arfer yn dala'r bws diwethaf adref ar ôl *stop tap*. Ond un nos Sadwrn, oherwydd dathlu pen-blwydd un ohonyn nhw, fe gollwyd y bws a doedd dim amdani ond neidio ar y bws hwyr a oedd yn mynd i Gastell Newydd Emlyn a neidio bant yn ymyl yr orsaf yng Nghynwyl Elfed a cherdded yr ychydig filltiroedd wedyn ar hyd lein y rheilffordd i Lanpumsaint.

Gan eu bod nhw wedi ei dal hi'n jogel, ac ar ôl cerdded rhyw ganllath ar hyd y rheilffordd, dyma un o'r bois yn gweiddi, "Ma hon yn uffarn o stâr hir!"

A dyma lais o'r cefen yn ateb, "Sa i'n becso am y stâr, ond y blydi banister sy'n isel!"

# CYMERIADAU

Faint ohonoch chi fydd yn cofio am Lloyd Davies, Talybont?

Roedd e'n fariton arbennig iawn, ac yn dilyn y steddfodau i gyd. Byddai cyffro drwy'r gynulleidfa o ddeall bod Lloyd Talybont wedi cyrraedd. Fel arfer fe fyddai'n cystadlu mewn sawl cystadleuaeth a phob amser yn gwisgo ei got ar ôl canu.

"Falle bo fe ddim yn aros achos bo fe wedi cael cam," fyddai awgrym ambell un yn y gynulleidfa, os mai ail neu drydedd wobr a gafodd.

"Falle bo fe'n mynd mlân i Grymych. Ma steddfod fan hynny heno 'fyd."

Ond, bron bob tro, fe fyddai Lloyd Davies yno, yn cystadlu ar yr Her Unawd, neu'r 'Champion Solo' fel y byddai pawb yn ei galw.

Yn aml iawn, y 'Champion Solo' fyddai'r gystadleuaeth olaf, a hynny fel arfer yn yr oriau mân.

Roedd hi'n ddau o'r gloch y bore yn eisteddfod enwog Pumsaint un flwyddyn, pan gyhoeddodd yr arweinydd mai'r gystadleuaeth olaf fyddai'r 'Champion Solo', ac er syndod i bawb, roedd pymtheg yn cystadlu! Ar ôl ychydig o drafodaeth rhwng Gerallt Evans, Caerdydd, y beirniad canu a'r swyddogion, penderfynwyd y byddai pob canwr yn canu, ond pan deimlai'r beirniad ei fod e wedi clywed digon gan bob unawdydd, fe fyddai'n tap-tapio'r bwrdd gyda'i bensil, ac yna roedd yr unawdydd i stopio canu.

Wrth gwrs, nid oedd hyn wrth fodd y cantorion o gwbl, a bu tipyn o gecran. Ond, o'r diwedd, dechreuodd y cystadlu a Gerallt Evans yn tap-tapio'r bwrdd gyda'i bensil ar ôl iddo glywed darn go dda o'r unawd.

Daeth tro Lloyd Davies o Dalybont i ganu. Roedd e'n canu'r hen unawd Gymreig, 'Merch y Cabden'. Yn yr unawd, mae storm fawr ar y môr ac mae merch y cabden yn cael ei golchi i'r môr. Yna, mae un o'r morwyr ifainc yn neidio i mewn i'r dŵr ac yn ei hachub tua diwedd y gân. Roedd Lloyd hanner ffordd trwy'r perfformiad, yn cyfleu'r cyffro mawr ac wrthi'n bloeddio'r rhan o'r gân sy'n dweud am y ferch –

'Mae'n boddi!
Mae'n boddi!'

A dyma Gerallt Evans yn tap-tapio'r ford gyda'i bensil a Lloyd yn gorfod stopio canu.

Yn sydyn, dyma Lloyd yn troi at y gynulleidfa gan weiddi'n eitha crac, "Wel, bodded i ddiawl â hi, te!"

Ted Morgan, heb unrhyw amheuaeth, sy'n dal y record am y person sydd wedi cyfeilio fwyaf o weithiau mewn eisteddfodau yng Nghymru, a thrwy'r byd o ran hynny. Yn 1973, rhoddodd Ted Morgan y gorau i gyfeilio ar ôl trigain mlynedd wrth y gwaith. Brodor o Frynaman oedd yr enwog Ted, er iddo dreulio rhan helaethaf ei oes yn byw ym mhentref Pontweli, Llandysul. Mae Goronwy Evans wedi ysgrifennu erthygl ardderchog amdano yn ei gyfrol *Llais Llwyfan Llambed* ac mae'n gofnod pwysig o un o ddoniau disgleiriaf Sir Gâr. Dyma bennill amdano o waith Dic Jones.

Trafaelu holl bentrefi'r sir
Yn hir a hwyr trwy'r gaea,
O Aberporth i Grugybar,
A'i gar drwy rew ac eira,
A dychwel adre i gyffroi
Y ceiliog o'i gwsg ola.

★ ★ ★

Mewn un eisteddfod, gofynnodd rhyw arweinydd o'r llwyfan i Ted, er mwyn diddori'r gynulleidfa, i egluro beth oedd y gwahaniaeth rhwng y nodau gwyn a'r nodau du ar y piano.

"Wi'n whare'r node gwyn mewn eisteddfode, a'r rhai du mewn angladde!" atebodd Ted.

★ ★ ★

Mewn steddfod un tro rhwng y locyls
Medde'r ficer, gan dynnu'i bai-ffocyls,
"Rhaid atal y wobor,
Nid am bo'ch chi'n sobor
O sâl, ond ma'r beirniad yn gocyls!"

Lyn Ebenezer

★ ★ ★

Roedd y diweddar Brychan Prydderch, Llandeilo, yn arweinydd eisteddfod penigamp. Roedd ganddo'r ddawn o ddifyrru'r gynulleidfa a chadw rheolaeth ar y 'bois yn y bac', yn enwedig ar ôl *stop tap*.

Roedd Brychan yn arwain yn eisteddfod enwog Llangadog yn hen neuadd y YMCA. Roedd llawer o'r bechgyn lleol ar eu traed yn y cefn, braidd yn anesmwyth a swnllyd. Yn sydyn, dyma Brychan yn gweiddi ar un o'r bois o'r llwyfan, "Ti yn y cefen fan'na, beth sy'n bod arnat ti? Beth yw dy broblem di?"

"Wi wedi colli nghap," medde hwnnw.

"Gronda 'ma, gw boi," medde Brychan, "ma'r dyn fan hyn yn y tu blaen wedi colli ei wallt ers ugain mlynedd, a dyw *e* ddim yn cadw sŵn!"

★ ★ ★

Mi sylwais wrth fynd trwy Langadog
Ar ffenestr siop lawn o hadog,
Ni welodd, rwy'n siŵr,
Y pysgod mo'r dŵr
Ers antur bell 'nôl llongau Madog.

★ ★ ★

Bu Ted Morgan yn dysgu Cerddoriaeth yn Ysgol
Ramadeg Llandysul. Rwy'n ei gofio'n dda, gan fod
ein dosbarth ni, sef 1M, yn cael 'Singing' gyda Ted
pob prynhawn dydd Gwener yn y 'Dining Room'.
Ac yn grwt un ar ddeg oed, anghofia i fyth mo'r
digwyddiad. Ar ôl dosbarthu'r copïau, a Ted yn
awyddus iawn i ddechrau arni a ninnau'r bechgyn
heb ddangos fawr o ddiddordeb, dyma fe'n gweiddi,
"Dowch o' 'na nawr, bois! Agorwch eich copis, ma'r
merched yn barod!"

★ ★ ★

Wrth deithio o gyfeiriad Caerfyrddin i Bencader, ar
'ôl mynd drwy bentref Rhydargaeau, cyn cyrraedd
tafarn y Stag and Pheasant, fe welwch chi yr arwydd
Danfforddgaer yn glir.

Bob tro y gwela i'r arwydd hwn, fedra i ddim llai
na chofio am un o'r adroddwyr digri gorau a welodd
Cymru erioed, sef DJ Lloyd, gan mai yno roedd
e'n byw. A chan mai Daniel oedd ei enw cyntaf,

galwai llawer ef yn Dan-fforddgaer! Bydd llawer iawn ohonoch yn cofio'n dda am DJ yn adrodd digri mewn eisteddfodau, mewn Noson Lawen neu gyngerdd a phawb yn eu dwble'n chwerthin. Yn aml, byddai'n sefyll ar y llwyfan cyn dechrau arni, a'r dorf yn dechrau chwerthin cyn iddo agor ei geg hyd yn oed!

Ond, o'r holl ddarnau i gyd, yr un gorau i mi oedd 'Colli'r Cwrcyn'.

Y Parch SB Jones (un o Fois y Cilie) oedd gweinidog DJ ym Mheniel a Bwlchycorn, a fe a fyddai'n cyfansoddi'r darnau digri ar ei gyfer. Hen lanc dibriod fu DJ Lloyd ar hyd ei fywyd, ac yn ddiacon parchus.

Pregethodd SB un Sul am y cariad rhwng mab a merch, gan bwyso ymlaen dros ochr y pulpud ynghanol ei bregeth, a dweud wrth DJ, "Dy'ch chi'n gwybod dim amdani, DJ!"

Ar ôl yr oedfa, ac wrth siarad gyda'i ffrindiau tu fas i'r capel, meddai DJ, "Ro'n i'n gwbod mwy na beth oedd e'n feddwl!"

Sawl cwpan a enillodd DJ tybed am adrodd 'Colli'r Cwrcyn,' ac i ble'r aeth yr holl gwpanau a enillodd?

Dyma bytiau o'r darn anfarwol hwnnw:

# COLLI'R CWRCYN

Un du wedd e, du fel y blac,
Ac yn dod miwn bob amser trwy ddrws y bac.
Wedd e'n gwmni mowr i ni a'r cathe,
A byse rhaid mynd ymhell cyn gweld i fath e.
Dou lygad melyn, pan o'n nhw ar agor,
Fel blode manal wrth dalcen sgubor.
Blew slic fel melfed ar hyd 'i gefen,
A byse 'i drad e i gyd mewn trefen.
Wedd twtsh o Bersian o gwmpas 'i gwt,
Talcen talentog a thrwyn bach pwt,
A wedd hi'n werth ichi glywed e'n canu grwndi
Ambell nos Sul ar y sgiw gyda Mari...

Mae'n ddirgelwch mowr i ni co i gyd
Pam 'r ath e o' co – o gystal byd;
Neb yn gas iddo, a digon o ligod
I blesio unrhyw gwrci, a 'mbach o faldod.
Wedd e'n cal i fwyd mewn soser wen,
Neu fynd i'r sosban i gyd dros 'i ben,
Gallwch chi nghredu i na chas e ddim cam,
Yn wir, wedd e'n cal popeth fel o'dd e am...

Os daw e'n ôl, fe geith groeso brenin –
Ffish a chwstard a bara menyn;
A beth gwell wi o fecso paham wedd e'n gadel?

Ma pethe fel 'na yn rhy ddwfwn a dirgel.
Ar ôl yr holl addysg mewn ysgol a choleg,
Ein holl athronieth a'n holl seicoleg,
Ma rhaid inni gyfadde yn dawel fach wedyn
Na wyddon ni fowr am ddyfndere cwrcyn.
A'r ffordd rydw i yn cysuro'r cathe
Yw gweud daw e'n ôl – am yr un rheswm ag 'r ath e!

(Copi llawn o'r darn yn y llyfr *Awen Ysgafn y Cilie*.)

★ ★ ★

Adroddwr digri anfarwol arall yn y cyfnod yn dilyn DJ oedd Phil Hermon – Phil Davies, Triolbach. Ni chlywyd neb erioed yn cyflwyno'r darn 'Dyn Bach Od', gan Jacob Davies, yn debyg i Phil. Roedd fel tase ganddo fe'r llais perffaith i adrodd hanes y dyn rhyfedd hwn y soniodd Jacob amdano.

Fel y bydden ni'n cysylltu DJ gyda 'Colli'r Cwrcyn', yn yr un modd ry'n ni'n cysylltu Phil gyda'r 'Dyn Bach Od.'

Dyma flas ichi o'r darn arbennig hwnnw:

## DYN BACH OD

Hen ddyn bach od yw Defi Tŷ Canol. Fe ddechreuodd e fynd yn od, medden nhw, pan drowd y cloce mlân am y tro cynta. Ddath e byth nôl i le wedyn. Fe ath e i'r capel y bore hwnnw fel arfer, ac fe isteddodd lawr wrth 'i hunan o ddeg tan un ar ddeg, a phan o'dd y bobol yn dod miwn i'r capel, o'dd e'n mynd mas. O'dd e fel se fe go whith ym mhopeth byth oddi ar 'ny. Pan o'dd dynion cyffredin yn mynd, o'dd e'n dod; a phan o'n nhw'n dod, o'dd e'n mynd. Fe ath yn od fel 'na...

Ond i gapso'r cwbwl, fe ypsetodd yr ardal i gyd pan ath e i weud fod e'n nabod dyn o'dd yn dad-cu iddo fe'i hunan. Ma peth fel 'na'n wath nag od, ond yw e nawr?

Ta beth, fe ath y stori dros y lle i gyd. Fe daclw'd Dafi o'r diwedd. Shwt yn y byd o'dd y fath beth yn bosib?

"Mi ro' i'r hanes i chi," mynte Dafi fel *judge*. "Dyn bach o Langeler o'dd e."

"Y'ch chi'n gweld," mynte Dafi, "o'dd na widw a'i merch yn byw yn Llangeler, a fe ddoith gwidman ati i ofyn i'r ferch briodi â'i fab. Ond, nid fel 'ny y buodd hi'n gwmws, a fe fuodd dwy briodas. Fe briododd y widw a mab y gwidman, a fe briododd y gwidman a merch y widw, a 'na shwt y dechreuodd y gymysgeth. Fe anw'd mab i'r widw a mab y gwidman, a mab i'r ferch a'r gwidman, tad y bachan oedd wedi priodi â'r widw.

Wel, nawr te, o'dd mab y widw a mab y gwidman yn ŵyr i ŵr y ferch o'dd wedi priodi tad y bachan a oedd yn briod â'r widw, mam y ferch. A mwy na hynny, o'dd mab merch y widw, o'dd yn briod nawr â thad y bachan o'dd wedi priodi â'i mam, yn hanner brawd i ŵr y widw; ac o'dd gwraig y mab yn fam-gu i'r mab, achos hi o'dd mam 'i fam, a fe hefyd o'dd gŵr 'i wraig, a o'dd e'n ŵyr iddi. Ma'r peth mor blaen â hoel ar bost," mynte Dafi. "Ro'dd y dyn yn dad-cu iddo fe'i hunan."

Ffaelodd neb ame'r peth. Do's dim cymint o bobol yn yr ardal yn gweud bod Dafi'n od nawr, a ma rhai wedi mynd i gredu taw nhw sy'n od, falle. Falle bo nhw'n iawn hefyd!

(Copi llawn o'r darn yn y llyfr *Hwyl Fawr*, Jacob Davies.)

★ ★ ★

Ar ôl i mi ddod yn gynghorydd ar Gyngor Sir Caerfyrddin, sylweddolais yn fuan fod sawl stori'n hedfan obiti'r lle am hwn a'r llall. Roedd ambell stori'n well na'i gilydd, a llawer o dynnu coes yn mynd ymlaen. Ond, y stori orau a glywes i oedd honno gan gynghorydd sy'n digwydd eistedd yn y rhes tu ôl i mi ar y cyngor. Y gwendid mwyaf, yn ôl y cynghorydd hwnnw, yw fod nifer fawr o'r cynghorwyr yn meddwl eu bod nhw'n bwysig, a bod cân Dafydd Iwan 'Rwy'n Bwysig, Bobl Bach,' yn cario llawer o wirionedd. Ac ar sail hynny yr adroddodd e'r stori hon.

Roedd y Cynghorydd Neil Baker, arweinydd Plaid Cymru, a'r Cynghorydd Martin Morris, arweinydd Llafur ar Gyngor Sir Caerfyrddin ynghyd â'r Cynghorydd Meryl Gravel, Arweinydd y Cyngor, yn mynd i'r nefoedd gyda'i gilydd, a'r tri'n sefyll o flaen Duw.

Dyma Duw yn gofyn i Neil, "Beth y'ch chi'n credu ynddo?"

"Cael amgylchedd lân," oedd ei ateb.

"Da iawn, dowch i eistedd fan hyn ar yr ochr dde i mi," meddai Duw.

Yna, mae Duw yn troi at Martin, "Beth y'ch chi'n credu ynddo?"

Doedd Martin ddim yn siŵr iawn, ond dyma fe'n mwmblan rhywbeth am heddwch.

"Da iawn,"meddai Duw, "dowch i eistedd wrth fy ymyl i, ar yr ochr chwith."

A dyma Duw'n troi at Meryl a gofyn, "Meryl, beth y'ch chi'n gredu?"

"Wi'n credu bo chi'n eistedd yn fy nghadair i!" oedd ei hateb.

★ ★ ★

Dyw 'Bois y Cownsil' yn newid dim ac mae'r storïe amdanyn nhw'n dal i fod gyda ni.

Roedd gang mas yn ddiweddar yn torri trensh ar ochr yr hewl yn ymyl Llanboidy, ac yn sydyn dyma'r fforman yn gweiddi, "Neidwch mas a jwmpwch lan a lawr. A nawr, nôl â chi i'r trensh."

Fe ddigwyddod hyn yn gyson am rhyw hanner awr, "Neidwch mas a jwmpwch lan a lawr. A nawr, nôl â chi i'r trensh."

Roedd un o'r gweithwyr wedi cael llond bola o hyn a dyma fe'n gofyn i'r forman, "Pam ry'n ni'n gorfod gneud hyn?"

"Wel," medde'r fforman, "ry'ch chi'n codi mwy o bridd mas ar 'ych sgidie na beth chi'n neud gyda'ch rhofie!"

★ ★ ★

Roedd *depot* Bois y Cownsil ym Mhencader flynyddoedd yn ôl, ac oddi yno y byddai'r gwahanol gangs yn bwrw mas bob bore.

Un prynhawn Gwener fe gafodd un o'r gweithwyr ei alw nôl yn gynnar ac fe roddwyd ei 'gards' iddo.

"Pam dw i wedi cael y sac?" holodd mewn sioc. "Sa i wedi neud dim byd."

"Na, dyna pam rwyt ti wedi cael y sac!" oedd yr ateb.

★ ★ ★

Mae rhoi ysgrifen ar grysau T yn beth poblogaidd iawn y dyddiau hyn.

Roedd moto beic yn mynd o mlân i y dydd o'r blan ar hewl Capel Dewi, ac wedi'i ysgrifennu ar gefn crys T y dyn ar y moto beic oedd, "Os allwch chi ddarllen hwn, mae'r wraig wedi cwmpo bant!"

"Ma mrawd i'n dod nôl fory o America ar ôl bod bant, a heb fod nôl o gwbl ers hanner can mlynedd, a wi'n mynd lan i Heathrow i gwrdd ag e," medde un o'r aelodau wrth ddod mas o gwrdd bore yng Nghapel Ffynnon Henri.

"Os yw e wedi bod bant ers cymint o amser, shwt byddi di'n 'i nabod e?" holodd un o'r aelode.

"Fydda i ddim, ond nabyddith e fi, achos sa i wedi bod o' 'ma o gwbwl!"

★ ★ ★

Mab ffarm o ardal Gelliwen wedi datblygu i fod yn un o'r meddygon mwyaf yn Florida, America. Roedd e wedi llwyddo i greu pilsen a oedd yn helpu i gadw pobl yn ifanc ac fe halodd e focsed bach ohonyn nhw nôl i Gelliwen at ei dad a'i fam.

Pan gyrhaeddodd e adre am dro ymhen rhyw fis, fe welodd e flonden ifanc siapus ar y clos.

"David," medde hi, "fi yw dy fam di. Fe gymres i un o'r pils 'na halest ti i ni, a edrych arna i nawr."

"Rargol," medde'r mab. "a pwy yw hwn sy yn y pram fan hyn?"

"O, dy dad. Fe lyncodd e'r bocsed i gyd!"

★ ★ ★

"Ti'n gweld yr hen gloc mowr 'ma fan hyn?" medde'r tad-cu wrth y crwt bach. "Ma hwn yn mynd wyth niwrnod heb ei weindo."

"Am faint ethe fe, sech chi *yn* 'i weindo fe, te?" holodd y crwt.

★ ★ ★

Beth wyt ti'n galw menyw sy'n gwybod yn iawn ble mae ei gŵr hi trwy'r amser?

Gwidw!

★ ★ ★

Roedd nifer o gymeriadau gwreiddiol iawn yn cwrdd bob wythnos yn Nhafarn Jên yn Abernant, ac fe adroddwyd un noson am Mrs Jones, gwraig un o'r bois, yn mynd i brynu cap newydd iddo fe yn siop Evans a Wilkins yn y dre.

A dyma Mr Wilkins yn gofyn iddi, "Pa seis cap ry'ch chi isie i Celt, ydy e'n *six and seven eighths*?"

"Sa i'n siwr,' medde hi, "ond seis *tens* yw 'i drâd e, ta beth!"

★ ★ ★

Yn Nhafarn Jên un noson roedd un o fois yr ardal, a oedd wedi bod bant yn gweithio am rhyw dair blynedd ond bellach wedi dod nôl, ac wedi galw mewn am beint. Roedd y bois lleol yn gwybod ei fod e wedi priodi pan oedd e bant, a bod y wraig wedi dod nôl gyda fe i fyw yn Abernant.

Roedd y bois lleol yn gwybod hefyd nad oedd ei wraig gyda'r perta o blith y menywod ac y byddai'n rhaid teithio'n go bell i gael ei salwach!

Ar ôl cwpwl o beints, mentrodd un o'r bois ddweud yn gwbl blaen, "Ble gest ti afel yn y wraig 'na sy 'da ti Henry, achos mae'n salw ar diawl?!"

"Grondwch ma, bois," medde Henry, "fel ma'r Sais yn dweud – *beauty is only skin deep.*"

Ac medde un o'r lleill o'r gornel, "Wel, blinga hi cyn gynted ag y gelli di, te!"

★ ★ ★

Mae Lucy yn lodes fach deidi,
Hyhi ydyw'r perta'n Llanboidy,
Ond gwell gwneud yn siŵr,
Rhag i mi gael stŵr
Mai William ei gŵr sydd yn dweud 'ny.

T. Elfyn Jones

★ ★ ★

Roedd Shoni wrthi'n cael dished o de gyda Mrs Davies yn Fferm y Cottage, Abernant, a dyna lle'r oedd e'n troi a throi ei de am amser hir gyda'i lwy, nes i Mrs Davies ddweud wrtho, "Shoni, chi'n troi a throi eich te, ond so chi wedi rhoi siwgir yn y cwpan 'to!"

"O, peidwch â becso," medde Shoni, "fe droia i e nôl nawr!"

★ ★ ★

Bws Traws Cambria'n teithio o Gaerdydd, a hen wraig fach yn eistedd yn y sedd y tu ôl i'r gyrrwr. Ar ôl mynd ychydig o filltiroedd, dyma hi'n pwyso mlân, rhoi pwt i'r gyrrwr a gofyn, "A odyn ni biti fod yng Nghyfyrddin?"

"Na," medde'r gyrrwr.

Ymhen pum munud dyma hi'n pwyso mlân eto ac yn gofyn yr un cwestiwn.

"Na, na," meddai'r gyrrwr eto.

Ond, bob pum munud a phob tro roedd y bws yn stopio, roedd hi'n gofyn, "Odyn ni yng Nghyfyrddin?"

Roedd y gyrrwr bron â mynd yn ddwl, a'r fenyw 'ma'n rhoi pwt iddo'n gyson yn ei gefen a holi am Gaerfyrddin trwy'r amser.

O'r diwedd, dyma gyrraedd Caerfyrddin a dyma'r gyrrwr yn neidio mas o'i sedd, sefyll ar ei draed o flaen pawb a gweiddi ar yr hen wraig, "Dyma ni wedi cyrraedd Caerfyrddin, fenyw! Ry'n ni 'ma ! Mas â chi, mas â chi, achos ry'n ni *wedi* cyrraedd Caerfyrddin!"

"O, sa i isie mynd mas," medde'r hen wraig. "Wi'n mynd i Aberystwyth. Mari'r ferch wedodd wrtha i am gymryd y pils at y galon sy 'da fi yn y bag pan fydden i'n cyrradd Cyfyrddin!"

★ ★ ★

Bydd llawer yn cofio 'Y Dyn a'r March' yn crwydro cefn gwlad Sir Gaerfyrddin yn symud o fferm i fferm ac aros dros nos yn y gwahanol ffermydd. Roedd y march yn gwasanaethu'r cesyg lleol a'i feistr wedyn yn ei stablo am y nos ac yn mynd am beint neu ddau i'r dafarn leol. Un go arw am y merched oedd dyn y march, ac un noson yn nhafarn y Plough and Harrow, ychydig filltiroedd y tu allan i dref Caerfyrddin, fe ofynnodd un o'r bois lleol i ddyn y march, "Sawl un ma fe wedi marcho 'da ti'r mis 'ma?"

"Wel," medde fe, "ro'n i ddwy mlân ag e neithiwr!"

★ ★ ★

Un od ydoedd Dafydd Llwyncelyn,
Roedd yn ots na phawb yng Nghaerfyrddin,
Ei wisg mor ddi-sglein
 sipsiwn Pendein,
Ond o'dd rhywbeth yn ffein ynddo wedyn.

D. H. Culpitt

# OBITI TRE CAERFYRDDIN

Cynhaliwyd sawl etholiad eitha twym yn Sir Gaerfyrddin ar hyd y blynyddoedd ac fe gododd y gwres wrth i Blaid Cymru ymuno yn y ras am y tro cyntaf yn y 1950au ym mherson Jennie Eirian Davies, merch a fagwyd yn Llanpumsaint. Yn Etholiad Cyffredinol mis Mai 1955 y safodd Jennie am y tro cyntaf, ond yn dilyn marwolaeth Syr Rhys Hopkin Morris, bu is-etholiad yn Chwefror 1957. Tri oedd yn y ras, sef Lady Megan Lloyd George (Llafur), John Morgan (Rhyddfrydwyr) a Jennie Eirian (Plaid Cymru). Cofiaf fynd i'r cyfarfodydd i wrando ar y siaradwyr a phob neuadd yn orlawn.

Yn ystod yr ymgyrchu, fe ysgrifennodd un Pleidiwr brwd y triban hwn er mwyn hyrwyddo achos Jennie Eirian, ac fe ddaeth yn bennill reit gyfarwydd ar lafar gwlad yn ystod yr ymgyrchu:

> Rhowch fôt i Jennie Eirian,
> Rhowch gic yn nhîn John Morgan,
> Ac ewch i nôl y tarw broc,
> Rhowch sioc i Ledi Megan.

(Roedd y llinell olaf yn amrywio o gwmni i gwmni!)

★ ★ ★

Lle enwog iawn yn nhref Caerfyrddin oedd Academy House ar Lôn Jackson, oddi ar Heol y Brenin. Ac yn Academy House byddai holl blant yr ardaloedd o gwmpas y dref yn sefyll eu harholiadau piano. Pryd bynnag byddech chi'n mynd heibio'r lle, fe glywsech chi'r piano'n cael ei chwarae, ac roedd y chwiorydd a oedd yn byw yno'n adnabyddus iawn. Roedden nhw'n hoff iawn o gathod a chŵn, ac yn enwi'r cŵn ar ôl cerddorion enwog. Un diwrnod, roedd un o'r chwiorydd yn mynd mas â'r cŵn am dro ac yn cerdded lawr Lôn Jackson tra roedd Jim Stephens o Heol y Bont yn dod â'i becinî lan y lôn. Dyma un o ferched Academy House yn gweiddi ar ei chŵn, "Dowch o' 'na Mozart a Handel ac Elgar."

Ac medde Jim wrth ei becinî, "Dere mlân Bach!"

★ ★ ★

Mae'n debyg fod yr heddlu wedi galw gyda dyn ym Mhensarn yn ddiweddar am fod ei garej yn ymyl y tŷ yn llawn o drolis siopa, ac wedi gofyn pam iddo fe?

"Dim ond punt yr un yw nhw yn Morrisons, a gallen i fyth wrthod cystal bargen!" oedd ei ateb.

★ ★ ★

Fe aeth y dyn 'ma i mewn i Towy Works, y siop nwyddau wrth y bont, i brynu hoelion.

"Pa mor hir y'ch chi isie nhw?" holodd y dyn tu ôl i'r cownter.

"Diawl, wi isie'u cadw nhw!" oedd ei ateb.

★ ★ ★

"Oes gwenwyn llygod gyda chi?" holodd yr un dyn.

"Odych chi wedi treial Boots?" medde'r un boi tu ôl i'r cownter.

"O na, sa i isie cico'r diawled i farwoleth," medde fe.

★ ★ ★

Dau ddoctor enwog a phoblogaidd iawn yng Nghaerfyrddin ychydig flynyddoedd yn ôl oedd Doctor John a Doctor Margaret Evans.

Gan mai gŵr a gwraig oedden nhw, fe fydden nhw'n codi yn y bore ac yn cael brecwast gyda'i gilydd, ac mae'n debyg y byddai un yn troi at y llall ac yn dweud, "Bore da, shwt ydw i'r bore ma? Rwy'n gweld dy fod *ti* yn iawn."

★ ★ ★

Roedd cystadlaethau chwarae pêl-droed yn yr haf yn boblogaidd iawn flynyddoedd yn ôl. Hyd yn oed y dyddiau hyn, mae ambell gêm rhwng pentrefi â'i gilydd yn boblogaidd ar ôl carnifal neu fabolgampau, a phawb yn cael llawer o sbri.

Llynedd, roedd gêm yn dilyn carnifal Abernant,

a thîm Talog yn chwarae tîm Tre-lech. Talog a enillodd, o ddeg gôl i ddim. Ar y diwedd, dyma'r dyn 'ma'n dod mlân at y bachgen a oedd yn y gôl i Dre-lech, ac ynte wedi gadael deg gôl i mewn, a dweud wrtho fe, "Wi'n credu y galla i eich helpu chi."

"O diolch," meddai golwr Tre-lech. "Hyfforddwr pêl-droed y'ch chi?"

"Na," medde fe. "Fi yw *manager* Specsavers yng Nghaerfyrddin!"

★ ★ ★

Aeth bachgen ysgafndroed o Grwbin
I'r ddawns un nos Iau i Gaerfyrddin,
Ond er syndod mawr,
Ar ganol y llawr,
Ei drowsus ddaeth lawr bob yn dipyn.

Trefor S. Evans

★ ★ ★

Pan gaewyd yr holl Swyddfeydd Post yn y pentrefi o gwmpas tref Caerfyrddin, yn ogystal â'r rhai oedd yn Heol Dŵr a Heol y Prior ac ar ben Heol y Bragdy, roedd ciwiau hir iawn o bobl bob awr o'r dydd yn y Brif Swyddfa Bost yn Heol y Brenin, a llawer un yn cwyno eu bod yn gorfod aros mor hir.

Wrth iddo gyrraedd y cownter un diwrnod,

fe ddywedodd Danny wrth y ferch, "Grondwch, pan ddechreues i giwio am stamp, dim ond hanner cant a phump o'n i. A 'ma fi nawr, yn gorfod codi mhension cyn mynd mas."

"Grondwch," meddai'r nesaf yn yr un ciw, "pan ddechreues i giwio roedd 'y ngwallt i'n ddu. Drychwch, 'ma fe'n dechre britho erbyn hyn!"

★ ★ ★

Pan gafodd cwpwl oedd yn byw yn y dref dripledi yn Ysbyty Glangwili, roedd y nyrsys i gyd yn llawen iawn ac yn gorfoleddu.

Roedd un o'r nyrsys ar ei hwythnos gyntaf yn yr adran ac wrth siarad gyda nyrs arall dros ddished o de wedyn, medde'r hen nyrs wrthi, "Ti'n gwbod beth? Dim ond unwaith mewn 4,000 o weithie ma hyn yn digwydd."

A medde'r nyrs fach ifanc, "Wel, mae'n syndod bo nhw wedi ffindio amser i fyta bwyd!"

★ ★ ★

Roedd fy Wncwl Doug yn borter yn Ysbyty Dewi Sant am flynyddoedd ac yn gorfod delio gyda nifer o bobl â phroblemau meddyliol. Hoffai sôn am un o'r cleifion a oedd yn mynd o gwmpas yn gwneud sŵn brrrrm... brrrrm... A dyma fy ewythr yn gofyn i ffrind y dyn, "Beth yw'r sŵn 'na ma fe'n neud drwy'r amser?"

"O," medde'r ffrind, "ma fe'n meddwl bo fe mewn car ac yn dreifo obiti'r lle."

"Wel, mae'n well i ni 'i stopio fe, ac egluro iddo fe," awgrymodd fy wncwl.

"O na," medde'r ffrind yn wyllt. "Peidwch â gneud hynny, achos wi'n cael dwy bunt yr wythnos gyda fe am olchi 'i gar e bob bore Sadwrn!"

★ ★ ★

Mae myfyrwyr yn enwog am fethu cadw eu hystafelloedd yn y colegau'n deidi – yn enwedig y bechgyn. Mae ambell ystafell yn sobor iawn – dillad brwnt, sanau drewllyd a hen bacedi sglodion dros y lle i gyd.

Ystafell felly oedd gan Meirion o Lanboidy pan oedd yn fyfyriwr yng Ngholeg y Drindod, Caerfyrddin.

Ar ôl bod adre un penwythnos, fe ddywedodd e wrth ei gyd-fyfyrwyr ei fod e am fynd i'r dref ar y dydd Mercher i brynu porchell bach yn y mart, mynd ag e adre ar y penwythnos wedyn ar fws Jones Login at ei fam a'i dad yn Llanboidy. Felly, fe fyddai'n achub ei dad rhag colli diwrnod o waith i fynd i'r mart i brynu mochyn. Roedd cadw mochyn yn arferiad digon cyffredin yn y cyfnod hwnnw.

"Ond ble ti'n mynd i'w gadw fe o ddydd Mercher tan ddydd Sadwrn?" holodd un o'i ffrindiau.

"Yn fy ystafell," atebodd Meirion.

"Ond, beth am y drewdod?" holodd y ffrind.

"O, fe ddaw e'n gyfarwydd â'r drewdod!" oedd sylw Meirion.

★ ★ ★

Mae parc braf yng Nghaerfyrddin, ond bellach y mae archfarchnad fawr Tesco yn ymyl. Er hynny, mae'n dal i fod yn le tawel a hamddenol i eistedd ar y meinciau. Un diwrnod yn ddiweddar, roedd dau hen ffrind yn eistedd yn yr haul braf, a doedd un ohonyn nhw ddim yn gallu gweld yn dda iawn. Ond, yn sydyn fe ddaeth hen gi heibio a chodi ei goes ar draws ei drowsus a'i wlychu'n stecs. Dyma'r dyn yn tynnu losinen allan o'i boced a'i rhoi i'r ci.

"Pam wyt ti'n rhoi losinen i'r ci, a hwnnw newy' biso dros dy drowser di?" gofynnodd ei ffrind.

"Isie neud yn siŵr ydw i ble mae pen blan y ci er mwyn i fi roi cic iddo yn 'i din!"

★ ★ ★

Mae adeilad yr Hen Ysgol Arlunio gyferbyn ag Eglwys San Pedr yng Nghaerfyrddin yn arddangos gwaith arlunwyr o bob math.

Dro'n ôl, roedd arddangosfa yno o waith Osi Osmond, yr arlunydd o Lansteffan. Mae Osi'n enwog am ei luniau cyfoes, llawn lliwiau ac anodd eu dehongli.

Daeth hen wraig i mewn a dechrau mynd o gwmpas, a phwy oedd yn digwydd bod yno ar y pryd ond Osi ei hun. Sylwodd y wraig ar un ffrâm ar y wal a dim byd arno – blanc llwyr. A dyma hi'n gofyn i Osi, "Esgusodwch fi, llun o beth yw hwn?"

"Llun buwch yn pori mewn cae," atebodd Osi.

"Ond, sdim porfa 'ma!"

"Nac oes, achos ma'r fuwch wedi byta'r borfa.'

"Ond, ble mae'r fuwch?" holodd ymhellach.

"Dyw hi ddim 'na, achos sdim un buwch yn mynd i aros mewn cae os nad oes porfa 'na!"

Mae sawl caffi pitsa yn y dref erbyn hyn, a phob un yn cystadlu yn erbyn ei gilydd i ddenu cwsmeriaid, ond mae rhaid bod yn ofalus nad y'n nhw'n twyllo. Dyma'r arwydd diweddaraf yn ffenest caffi pitsa yn Heol y Bont:

Un pitsa am bris dwy – ac un am ddim.

# ANGLADDAU
# A PHREGETHWYR

Tom Thomas o Langynog ddwedodd wrtha i am bennill sydd ar garreg fedd leol i ferch a oedd braidd yn salw –

> Mari Ifans a fu farw,
> Ac i'r nefoedd aeth yn llon,
> A'r angylion oll ddywedant,
> 'Arglwydd Mawr – o ble ddaeth hon?!'

★ ★ ★

Os y'ch chi am wneud trefniadau ymlaen llaw ar gyfer cael eich claddu, wel, ewch i weld yr ymgymerwr angladdau Glanmor Evans o Langain.

Gallwch ddibynnu ar Glanmor, gan mai fe fydd y person diwethaf i'ch gadael chi lawr!

★ ★ ★

Hen, hen ŵr bregus iawn yr olwg mewn siwt ddu, tei ddu a sgidie du yn sefyll wrth y gylchfan ar dop Heol Awst yng Nghaerfyrddin ar ei ffordd i angladd yn Eglwys Dewi Sant. Gan nad oedd e'n siŵr ble yn union oedd yr eglwys, dyma fe'n holi rhywun a oedd ar ei ffordd mewn i Glwb y Quins, "So chi wedi digwydd gweld hers yn mynd heibo, y'ch chi?"

"Pam, odych chi 'di cwmpo bant?"

★ ★ ★

Mae pobl yn dweud pethe hollol dwp a difeddwl yn aml iawn adeg profedigaeth.

Fel y dyn bach gwbl ddidwyll hwnnw ym mhentref Cynwyl Elfed a oedd yn trefnu cynhebrwng ei wraig gyda'r gweinidog, ac yn dweud wrtho y byddai'r angladd wythnos i ddydd Mawrth nesaf.

"Wel, deudwch wrtha i Mr Jones, pam rydych chi'n cymryd cymaint o amser cyn ei chladdu?" holodd y gweinidog.

"Weda i wrthoch chi, Mr Ifans. Ro'dd y wraig wedi gweud mwy nag unwaith bo isie i ni gal wthnos fach dawel gyda'n gilydd rhywbryd!"

★ ★ ★

Roedd hi'n arferiad i ddangos y corff yn y cartref pan fyddai rhywun wedi marw. Dyma Sarah drws nesa'n galw, ac meddai'r weddw, "Fuodd e farw yn ei gwsg, a so fe'n gwbod bo fe wedi marw 'to, ac os dihunith e yn y bore, fe laddith y sioc e!"

★ ★ ★

Ar ôl treulio ei oes yn rhedeg siop ym mhentre Ffarmers, roedd Seimon ar ei wely angau, a'r teulu i gyd o'i gwmpas yn ei ystafell wely.

"Wyt ti Gladys, fy ngwraig, 'ma?" holodd.

"Odw, odw," atebodd.

"A beth am Defi'r mab? Wyt ti 'ma, Defi?"

"Odw, odw nhad, wi 'ma."

"A Lisi fy merch. Wyt ti 'ma?"

"O, odw, wi 'ma nhad."

A dyma'r hen Seimon, yn sydyn, yn codi ar ei eistedd yn y gwely.

"Pwy gythrel sy'n edrych ar ôl y siop, te?"

Dau hen golier yn eistedd ar y fainc ar sgwâr Tycroes, a dyma nhw'n gweld hers yn dod a rhes o geir yn dilyn. Dyma Jac yn troi at Dai, "Wel, wel, heddi ma angladd Williams Siop y Co-op?"

"Beth gythrel ti'n feddwl yw hon, te? Rihyrsal?!" medde ei ffrind.

Menyw yng Nghartref Argel yn Nhre-Ioan wedi cyrraedd ei chant a phump, a phenderfynwyd cynnal parti mawr iddi a chael ffotograffydd yno i dynnu ei llun a rhoi hanes ei bywyd yn y *Carmarthen Journal*.

Fe ymddangosodd ei llun a'i hanes yn y papur yr wythnos ganlynol, ond bu farw'r hen wraig yn sydyn iawn y diwrnod wedyn.

Awgrymodd un o'r hen bobl yn Argel fod y Bod Mawr wedi anghofio amdani tan iddo weld ei llun hi yn y *Carmarthen Journal*!

★ ★ ★

Y gweinidog ar hanner ei bregeth yn plygu mlân ac yn dweud wrth un o'r diaconiaid, "Dihunwch hwnna sydd yn eich hymyl chi, wnewch chi?"

"Dihunwch chi e," oedd ei ateb. "*Chi* halodd e i gysgu!"

★ ★ ★

Mae llawer o bregethwyr yn ffurfiol iawn yn eu dull o siarad ac yn tueddu i ddefnyddio'r un dywediadau dro ar ôl tro. Ambell un yn dweud, 'Da iawn, da iawn,' neu 'Ie wir, ie wir,' drwy'r amser.

Ond roedd un hen barchedig yn ardal Hermon a Bryn Iwan wastad yn dweud 'Am wn i,' ar ôl pob brawddeg bron. Hen lanc dibriod fuodd e ar hyd ei oes, ac un bore Sul ar ôl gwrando ar y plant yn dweud eu hadnodau, dyma fe'n mynd ati i ddweud gair bach ymhellach.

"Diolch i chi blant am eich hadnodau," medde fe, "ac am eu hadrodd mor dda, am wn i! Nifer dda ohonoch chi yma heddi, am wn i! Wyddoch chi ffrindiau, rwy'n hoff iawn o blant, am wn i! Er nad oes plant gyda fi fy hunan – am wn i!"

★ ★ ★

Bu'n rhaid i bregethwr o'r gogle'
Fynd i gae heb fod 'mhell o Wernogle,
Ond daeth tarw mawr cas
A'i hala fe mas,
A doedd dim byd ar ôl ond arogle.

★ ★ ★

Flynyddoedd maith yn ôl, daeth Elfed Williams adref o Lundain un penwythnos i weld ei fam a'i dad yn Heol Parcmaen, Caerfyrddin. Ar y Sul, doedd dim amdani ond mynd i'r capel.

Yn y bore, aeth gyda'i dad i Gapel Heol Awst, a phwy oedd yno ond rhyw bregethwr cynorthwyol a oedd braidd yn hirwyntog. Fe bregethodd ar y testun 'A merch Jeirus oedd yn wael iawn'.

Er mwyn cadw'r ddysgl yn wastad fe aeth gyda'i fam i Gapel Heol Dŵr yn y prynhawn, gan mai yno yr oedd hi'n aelod.

Pwy oedd yno'n gwasanaethu ond yr un hen gyfaill a oedd yn Heol Awst yn y bore. A dyma fe unwaith eto'n pregethu ar y testun 'A merch Jeirus oedd yn wael iawn'.

Fe alwodd Elfed gyda'i gyfaill Sulwyn Thomas i de, a heb feddwl dwywaith, fe aeth gyda Sulwyn i Gapel y Priordy i wasanaeth yr hwyr.

Alle fe ddim credu ei lygaid! Pwy oedd yno ond yr un hen bregethwr cynorthwyol, ac am y drydedd waith y Sul hwnnw gorfod iddo wrando ar yr un bregeth ar y testun 'A merch Jeirus oedd yn wael iawn'.

Cododd Elfed yn gynnar fore Llun i ddal y trên cyntaf nôl i Lundain, a phwy welodd e'n sefyll wrth ei ymyl ar y platfform ond yr hen bregethwr bach cynorthwyol. Roedd crowd da yn aros am y trên, a dyma'r hen bregethwr yn troi at Elfed ac meddai, "Wel, mae torf dda o bobl yma, tybed i ble maen nhw i gyd yn mynd?"

Dyma Elfed yn ateb, "Efallai eu bo nhw'n mynd i angladd merch Jeirus achos roedd hi'n wael ddychrynllyd ddoe!"

★ ★ ★

Fe fydd llawer iawn ohonom yn cofio'n dda am y diweddar annwyl John Richards, Esgob Tyddewi. Roedd e'n hoff iawn o gadw'r traddodiadau eglwysig, ac yn eu plith, gwisgo'i legins a'i sanau, a'r *frock coat* ddu.

Roedd e hefyd yn fach ac yn dew iawn o ran corff, ac yn y wisg hon fynychaf y byddai'n teithio o gwmpas ei esgobaeth.

Byddai'n symud ei ffeiradon o blwyf i blwyf yn eithaf aml, ac ambell un o'r rheini yn anghytuno gyda'r ffordd y byddai'n eu trin. Un o'r rheini oedd ficer un o blwyfi gwledig Sir Gaerfyrddin. Yn wir, roedd hwnnw wedi rhoi pryd o dafod i'w esgob

– rhywbeth na ddylse neb wneud!

Beth bynnag, roedd yr Esgob Richards yn ei rigowt llawn ar blatfform gorsaf Caerfyrddin un diwrnod yn aros am y trên, a phwy ddigwyddodd fod yno hefyd yn aros am yr un trên, ond y ficer a roddodd lond pen i'w esgob. Gwelodd yr esgob ei gyfle, ac er mwyn rhoi'r ffeirad bach yn ei le gwaeddodd, "Porter, porter, allwch chi ddweud wrtha i a yw'r trên nesaf yn mynd i Gaerdydd?"

"Odi, madam," oedd ateb y ficer gan edrych ar yr Esgob boliog. "Ond y'ch chi'n meddwl ei bod hi'n saff i chi deithio yn eich cyflwr chi?!"

★ ★ ★

Ficer Eglwys San Pedr, Caerfyrddin yn cerdded yn hwyr un nos Sadwrn ar hyd Heol y Prior yng Nghaerfyrddin ac yn gweld trwy'r ffenest y gŵr yn ysgwyd ei wraig. Gan fod y drws ffrynt ar agor, dyma fe'n rhuthro mewn.

"Beth y'ch chi'n neud, ddyn?" medde fe. "Ysgwyd eich gwraig fel'na!"

Cafodd y gŵr gythrel o sioc o weld y ficer yn yr ystafell.

"Grondwch 'ma, ficer," medde fe. "Ro'n i'n rhoi eitha ysgwydad i'r wraig achos o'dd hi'n gweud wrtha i bod hi ddim am fynd i'r cwrdd bore fory, a ro'n i'n gweud wrthi bod *rhaid* iddi fynd!"

★ ★ ★

Athrawes Ysgol Capel Sul, Cydweli yn rhoi gwers i'r plant yn y festri ac yn sôn am dymhorau'r flwyddyn a misoedd y flwyddyn, a sut oedd Duw yn gofalu bod y tywydd yn newid o fis i fis.

Dyma hi'n egluro i'r plant fod gyda ni, yn y Gymraeg, ddywediadau yn ymwneud â'r tywydd a'r misoedd.

"Dyna i chi 'Mawrth a ladd ac Ebrill a fling'," medde hi.

"Pwy all ddweud wrtha i, beth sy'n dod 'i mewn fel llew ac yn mynd allan fel oen'?" holodd ymhellach.

"Nhad, Miss," atebodd un mewn fflach.

★ ★ ★

Doedd hi ddim yn bosibl i sawl gwas ffarm gael diwrnod bant yn aml gan nifer o'r ffermwyr. Bydden nhw yn eu gweithio nhw'n galed o fore tan nos, chwe diwrnod yr wythnos, gan ddisgwyl iddyn nhw fynd i'r cwrdd wedyn dair gwaith ar y Sul, yn ogystal â godro nos a bore.

Ond, dyma Wili John ar fferm Penrhos yn ymyl Llandeilo yn mentro gofyn i'r mishtir un diwrnod, "O's gobeth cal pnawn Sadwrn nesa bant, i fynd i ffair Llandeilo?"

"Os bydd hi'n bwrw glaw," oedd yr ateb swrth.

Ac wrth gwrs, doedd hi ddim wedi bwrw.

Ymhen mis, dyma gynnig arall arni.

"Ga i ddydd Gwener nesa bant i fi fynd getre i weld Mam a Dat?"

"Os bydd hi'n bwrw."

Ni ddaeth y glaw.

Ymhen ychydig o wythnosau, dyma'r gwas yn gofyn eto.

"Rwy am fynd i briodas ffrind i fi pythownos i heddi. O's gobeth cael mynd ?"

"Os bydd hi'n bwrw."

Roedd hi'n ddiwrnod braf.

Daeth blwyddyn Wili John i ben ym Mhenrhos a magodd ddigon o blwc i ddweud wrth ei fishtir ei fod e'n gadael Penrhos achos bo fe wedi bod yno am flwyddyn gyfan heb gael yr un diwrnod bant.

"Wel, rwyt ti wedi bod yn weithwr da, whare teg," medde'r mishtir. "Rwyt ti wedi bod yn ffyddlon iawn i fi, a wi'n meddwl y byd ohonot ti. Dwed wrtha i Wili John, pan fydda i farw, a ddei di i'n angla i?"

"Os bydd hi'n bwrw!" oedd ateb Wili John.

★ ★ ★

Bois Parc Nest ar y radio yn adrodd hanes tîm pêl-droed Castell Newydd Emlyn – yr unig dîm pêl-droed yn y byd lle bu pedwar prifardd yn chwarae drosto tua'r un pryd, sef Jim, John, Aled a Dic Jones.

Ond, fe aeth y clwb i drafferthion ariannol yn y 1950au. Doedd dim clincen yn y banc, a'r bechgyn yn gorfod golchi'r cit eu hunain. Ac felly y buodd hi am rai blynyddoedd. Roedd tyllau yn y sanau, y crysau streips coch a gwyn wedi ffado a'r siorts yn mallu. Doedd dim amdani ond hala bant i gael cit newydd sbon. Dyna'r cyfnod nad oedd neb wedi meddwl am shwt beth â 'noddwyr'.

Fe gafwyd y cit newydd oddi wrth rhyw gwmni o Glasgow yn Yr Alban, ac am y tro cyntaf ers blynyddoedd, roedd hi'n werth gweld tîm Castell Newy' ar y cae.

Fe ddaeth y bil am y cit, ond nid oedd ceiniog goch yn y banc! Doedd dim gobaith talu, a dyma'r annwyl Carl Perry'n cael syniad ac yn ysgrifennu yn Saesneg at y cwmni yn Glasgow i ddweud, "Mae'n ddrwg gyda ni, ond allwn ni ddim talu, achos mae'r trysorydd wedi marw!"

Gan na chlywyd gair gan y cwmni, a mis wedi mynd heibio, roedd Carl yn credu na fyddai'n rhaid talu.

Ond ymhen chwe wythnos, dyma fil arall yn cyrraedd, a Carl yn ei ateb unwaith eto, "Mae'n ddrwg gyda ni, ond mae'r trysorydd yn farw o hyd!"

# MEDDYGON

Gŵr ifanc yn mynd i weld seiciatrydd enwog yn Ysbyty Dewi Sant yng Nghaerfyrddin.

"Doctor," medde fe, "ma problem gyda fi. Wi'n dwgyn pethe drwy'r amser. Allwch chi neud rhywbeth i'n stopo i?"

Ac medde Dr Jones, "Cymra ddwy o'r pils hyn bob dydd, a dere nôl i ngweld i ymhen pythefnos."

"A beth os na fyddan nhw'n gweitho?" medde'r crwt.

"Wel, dere â teledu portabl i fi o Currys!"

★ ★ ★

Bu tipyn o drafod ar y bilsen atal cenhedlu pan ddaeth hi allan am y tro cyntaf. Y merched a'r doctoriaid ddim yn hollol siŵr sut oedd pethe'n gweithio, a pha mor aml ddylsen nhw gael eu cymryd. Roedd yr eirfa'n newydd i bawb hefyd.

Dyma fenyw o Bencader yn mynd at Dr Enoch yn Llandysul a dweud, "Wi wedi anghofio cymryd y *contradictory pill*."

"Esgusodwch fi'n dweud wrthoch chi," meddai Dr Enoch wedyn, "ond wi'n credu falle'ch bo chi bach yn *ignorant*."

"Odw," medde hi, "ers tri mis!"

★ ★ ★

Menyw o Gapel Iwan yn mynd lawr i weld Dr Budd
yng Nghastell Newydd Emlyn. Roedd hi'n drwm
ei chlyw ac roedd ganddi ddeunaw o blant.

Dyma hi'n cerdded mewn i'r syrjeri a gofyn i Dr
Budd am *hearing aid*.

"Pam y'ch chi isie *hearing aid*?" gwaeddodd Dr
Budd.

"Wel," medde hi, "pan ni'n mynd i'r gwely, ma'r
gŵr wastad yn gweud, 'Odyn ni'n mynd i gysgu neu
beth?' A wi o hyd yn gweud – beth?"

★ ★ ★

Roedd ffonio'r doctor ganol nos yn beth cyffredin
iawn flynyddoedd yn ôl, a'r doctor druan yn gorfod
codi o'i wely a mynd mas i weld y claf.

Fe ganodd ffôn un noson yn nhŷ Dr Jones,
Llandysul, a oedd yn yr un practis â Dr Enoch.

"Gwyn Thomas, Waungilwen sy 'ma. Ma'r wraig
mewn poene mowr. Wi'n credu ma pendics sy arni,
a bydde'n well ei rysho hi i Glangwili i dynnu 'i
phendics hi mas."

"Gan bwyll nawr," medde Dr Jones, "os wi'n
cofio'n iawn, fe dynnon ni bendics eich gwraig rhyw
dair blynedd nôl. A sa i wedi clywed am neb wedi
cael ail bendics!"

"Naddo! Ond falle'ch bo chi wedi clywed am rhywun sy wedi cael ail wraig!"

★ ★ ★

Un o fois Brynaman Uchaf yn mynd lawr i syrjeri'r doctor ym Mrynaman Isaf ac yn dweud yn blaen wrth y doctor, "Wi'n cal trafferth mynd i gysgu ar ôl bod mas ar y pop."

"Faint y'ch chi'n yfed?" gofynnodd y doctor.

"Biti wyth i naw peint, a rhan amla'n cal hanner dwsin o wisgis wedyn cyn mynd getre."

"A chi'n ffili cysgu ar ôl hynny," medde'r doctor mewn syndod.

"Odw, achos wi wrthi'n canu trwy'r nos!"

★ ★ ★

Dr Jenkins, Henllan, oedd yr unig ddoctor rhwng Cenarth a Phencader ar un amser. Roedd e'n defnyddio llawer o bethau naturiol i geisio gwella pobl, ac roedd e'n dipyn o gymeriad.

Roedd Ronald yn dioddef yn ofnadwy o glwy'r marchogion neu *piles* fel ry'n ni'n eu galw nhw.

Dyma Dr Jenkins yn dweud wrtho fe am rwbio growns te (dail te) arnyn nhw. Ond, er iddo rwbio'n gyson am ddiwrnodau, doedd ei broblem ddim yn gwella ac yntau'n rhwym hefyd!

Dyma fynd i weld Dr Jenkins eto yn ei syrjeri yn Henllan.

"Tynna dy drowser lawr i fi gael gweld," meddai Dr Jenkins wrth Ronald, "a phlyga mlan!"

Ac yna, dyma'r hen ddoctor yn dweud, "Alla i wneud dim am y *piles*, ond wi'n fodlon darllen dy ffortiwn di!"

★ ★ ★

Doedd dim apwyntiadau'r pryd hwnnw i weld y doctor. Pawb yn yr ystafell aros, ac un ar ôl y llall fyddai hi yn syrjeri Dr Jenkins rhwng deg a deuddeg bob dydd.

Roedd ei syrjeri'n eitha llawn rhyw fore Llun ac

roedd Wil Esgair Fach yn eistedd yn ymyl menyw a oedd wrthi'n bwydo'i babi o'r frest. Dyma hi'n troi at Wil ac medde hi, "Chi sy nesa!"

"Jiw, na," medde Wil, "dim ond dod i weld y doctor wnes i!"

★ ★ ★

Wil Blaenesger yn gorwedd ar wastad ei gefn yn y gwely yn Ward Tywi yn Ysbyty Glangwili a'r doctor yn dod rownd a gofyn iddo, "Shw ma pethe Mr Jones? Y'ch chi'n setlo lawr? Gorweddwch chi'n fflat ar eich cefn nawr am bythefnos heb symud ac fe fyddwch chi'n iawn. Ond cofiwch yfed cymaint ag y gallwch chi o ddŵr. Ydy popeth yn iawn?"

"Na, dyw popeth ddim yn iawn," medde Wil, "sa i'n cael cyffro, na chodi i fynd i'r tŷ bach, a wi fan hyn ar fy nghefen – a sa i'n gallu piso lan rhiw miwn i'r botel 'ma!"

# AR DRAWS Y SIR

Ry'n ni i gyd yn gwybod pa mor ddrud yw bwyd os y'ch chi'n troi mewn i un o'r gwasanaethau sydd ar y draffordd. Ond fe gafodd Jack Davies o Flaenwaun dipyn o sioc pan dynnodd e mewn i Bont Abraham un noson ar ei ffordd nôl o Gaerdydd. Prynodd Jack ddished o de, cacen a bar o siocled a mynd at y fenyw wrth y til i dalu.

"Mae'n ddrwg 'da fi," medde Jack, "dim ond papur deg punt sy 'da fi."

"Peidwch â becso," atebodd y fenyw, "fe allwch chi roi'r bar siocled yn ôl ar y silff os y'ch chi isie!"

★ ★ ★

Pethe handi iawn yw'r ffonau symudol 'ma os y'ch chi mewn trafferth neu angen cysylltu gyda rhywun ar frys.

Fel y wraig honno o Felingwm yn ffonio'i gŵr ac yn dweud, "Wi'n cael trafferth gyda'r car... ma dŵr yn y carbaretor."

"Ble wyt ti?"

"Yn afon Tywi yn ymyl pont Nantgaredig!"

★ ★ ★

Roedd Sara Jane a Defi Tom yn byw mewn tŷ digon llwm ym mhentref bach Rhydcymerau, ac yn methu fforddio'r *mod-cons* fel pawb arall.

Ond penderfynodd Defi Tom fynd ati, ar ben ei hunan, i adeiladu ystafell molchi a thŷ bach yng nghefn y tŷ, ac fe fuodd e wrthi am flynyddoedd.

Â'r lle'n dal heb ei orffen, daeth chwaer smart Sarah Jane, sef Penelope May, lawr o Lunden i aros gyda nhw am benwythnos, ac fel y dywedodd Defi Tom, roedd digon o baent ar ei hwyneb hi i beintio'r QE2, a digon o bowdwr i'w chwythu hi lan!

Beth bynnag, fe gyrhaeddodd Penelope May, a'r peth cyntaf ddywedodd ei chwaer wrthi oedd bo nhw ddim cweit wedi bennu'r ystafell molchi, a dyma Defi Tom yn ychwanegu, "Dwedwch wrtha i, Penelope – oes cof da gyda chi am wynebe?"

"Wel oes," atebodd hi.

"Wel, wi'n falch," medde Defi Tom, "achos does dim *mirror* gyda ni yn y bathrwm 'to!"

★ ★ ★

Crwt ifanc o fecanic, a oedd yn gweithio yng ngarej Cawdor yng Nghastell Newydd, yn mynd at Ron y barbwr yn y dref, a'i wallt yn Frylcreem i gyd ac yn sheino. Eisteddodd yn y gadair.

"Be ti am i fi neud i dy wallt di?" gofynnodd Ron. "Ei dorri e, neu newid yr *oil*?"

Roedd dau farbwr yng Nghastell Newydd, a'r ddau'n cystadlu'n erbyn ei gilydd. Yn y dyddiau hynny, byddai pob barbwr yn cynnig gwasanaeth shafio, yn ogystal â thorri gwallt.

Un haf, fe alwodd ymwelydd yn Siop Farbwr Elfed i ofyn am gael ei shafio. Roedd Elfed yn defnyddio'r hen ddull traddodiadol o roi wablyn ar y brwsh ac wedyn ar wyneb y person, ac yna shafo'r cwbl bant gyda raser hir.

Yn sydyn, dyma Elfed yn poeri unwaith neu ddwy ar y brwsh er mwyn ei lychu cyn rhoi'r wablyn arno ac yna ar wyneb y dyn. A dyma'r dyn yn troi at Elfed, "Y'ch chi'n arfer poeri ar y brwsh? Dyw hwnna ddim yn beth glân iawn i neud, odi e?"

"Na," medde Elfed, "ond chi'n lwcus ma dyn dierth y'ch chi, neu ar eich hwyneb chi fyddwn i 'di poeri!"

★ ★ ★

Plismon ar sgwâr Cross Hands yn gweld y crwt 'ma o'r Tymbl yn gyrru hen gar Humber ei dad, gydag un sedd hir ar draws y tu blaen. Roedd un fraich yn dynn am ei gariad a'r llall ar yr olwyn yrru.

Dyma fe'n gorfod stopio wrth y golau coch ar y sgwâr ac aeth y bobi mlân ato a gofyn, "A fydde hi'n well i ti ddefnyddio'r ddwy law?"

A'r crwt yn ateb, "A phwy sy'n mynd i ddreifo wedyn?"

★ ★ ★

Mae cael eich dal mewn lluwch o eira'n talu ffordd weithiau. Dyna'n siŵr oedd hanes y ddau ffrind o Gefnbrynbrain ar eu ffordd nôl o Langadog dros y Mynydd Du ar un noson aeafol iawn.

Yn ôl yr hanes, roedd y ddau wedi cyrraedd Tro'r Gwcw a hithau'n bwrw eira'n drwm iawn, pan aeth y car yn sownd mewn lluwch o eira.

Penderfynwyd ei bod hi'n rhy beryglus i groesi'r mynydd, ond ar ôl gweld golau yn y pellter i gyfeiriad Gwynfe islaw, dyma fentro o'r car a chyrraedd y tŷ rhyw awr yn ddiweddarach, ar ôl cryn drafferth.

Ar ôl cnocio, fe ddaeth hen wraig fach at y drws.

"Dowch miwn," medde hi'n garedig. "Fe gewch chi aros 'ma heno. Fe geith un ohonoch chi gysgu yn y gwely bach yn y stafell sbar, ond wi'n ofni bydd rhaid i'r llall gysgu fan hyn yn y gegin. Hen ferch ydw i wedi bod eriod a sa i'n gyfarwydd â dyn'on yn y tŷ."

Felly y bu. Aeth Jim i'r stafell sbâr ac fe arhosodd William John yn y gegin. Ond ar ôl rhyw awr, roedd William John braidd yn anghyfforddus yn y gegin, ac roedd hi'n gythreulig o oer yno erbyn hyn. Ar ôl ystyried y sefyllfa, fe aeth William John yn dawel fach i ystafell wely'r hen ferch a llithro'n dawel i mewn ati yn y gwely dwbwl. Doedd dim amheuaeth i'r ddau fwynhau'r profiad yn fawr!

Cododd y ddau o'r gwely dwbwl i gael brecwast cyn i Jim ddihuno yn y stafell sbar, a mynnodd yr hen ferch gael enw a chyfeiriad William John.

"Jawch," medde William John wrtho fe'i hunan, "fe ro i enw a chyfeiriad Jim 'y mhartner iddi, rhag ofn y daw hi ar fy ôl i rhywbryd!"

Ac felly y bu.

Rhyw bum mlynedd yn ddiweddarach, fe gafodd Jim, partner William John, gryn sioc o dderbyn siec am dri chant punt gan gyfreithiwr y diweddar wraig o Wynfe, fel arwydd o ddiolch iddo am y mwynhad a gafodd adeg noson yr eira mawr.

Mae rhai pobl yng Nghefnbrynbrain yn cofio'r hanes o hyd.

\* \* \*

Yn ôl y diweddar gymeriad Dai Culpitt o Gefneithin, roedd e'n adnabod un hen löwr yn y pentref a newidiodd ei Blaid ychydig cyn iddo farw.

Roedd pawb yn yr ardal lofaol hon yn gefnogwyr mawr y Blaid Lafur wrth gwrs, a dim ond ychydig, fel Dai Culpitt a Wil Rees ac un neu ddau arall, oedd yn mentro cefnogi Plaid Cymru. Doedd dim un Tori yn agos!

O wybod mai ond ychydig wythnosau oedd ganddo i fyw ac yntau'n dioddef o lwch y glo, fe ymunodd un hen golier yn y pentref â'r Toriaid, er iddo gefnogi'r Blaid Lafur ar hyd ei fywyd.

Fe aeth Dai Culpitt i'w weld e yn y tŷ, a gofyn iddo pam oedd e wedi gwneud y fath beth.

Ac medde'r hen golier, "Wel, wi 'di bod yn meddwl – mae'n well colli un ohonyn *nhw* na un ohonon *ni*!"

Roedd yna amser pan fyddai piano ym mhob tŷ bron – yn enwedig os oedd plant yn y teulu. Roedd dysgu sut i ganu'r piano yn rhan bwysig o addysg bob plentyn. Dyna oedd y gred, ac fe wnaeth sawl Miss Jones ei ffortiwn yn rhoi gwersi piano i blant bach y pentref.

A chyda'r nos, fe glywsech chi'r plantos yn ymarfer ym mhob tŷ yn y stryd, a does dim byd yn waeth na gorfod gwrando ar rhywun yn bwldagu dros yr un hen ddarn a tharo'r nodau anghywir drwy'r amser.

Un diwrnod, dyma gnoc yn nrws un o'r tai yn Heol yr Ysgol, Cefneithin, a'r fam yn ei agor.

"Helo," meddai'r dyn a oedd yn sefyll yno. "Rwy wedi dod i diwnio'ch piano chi."

"Ond, sa i wedi gofyn i neb i ddod i diwnio'n

piano ni," oedd ei hateb.

"Na," medde fe. "Dyn drws nesa wnaeth!"

★ ★ ★

Tribannau'n cynnwys idiomau Cymraeg:

Fe welodd John y Dolau
Ei wraig yn hel celwyddau,
Danfonodd hi yn ôl i'w thŷ,
A'i rhegi i'r cymylau.

★ ★ ★


Yn feddw gaib aeth Gwenno
Un hwyr o ffair Llandeilo,
'Rhy hwyr yn wir,' medd tyner lais
'Yw codi pais 'rôl piso.'

D. H. Culpitt

★ ★ ★

Y Barbariaid yn chwarae yn erbyn Llanelli ar Barc
y Strade, a phethe'n dechrau twymo rhwng y ddau
bac. Ar ôl yr ail hanner, fe ddechreuodd rhai o fois
Y Barbariaid belto bois Llanelli. Roedd torf y Bob
Bank yn grac iawn ac yn gweiddi pethe cas achos
bo'r ymwelwyr mor fochynnaidd.

Yn sydyn, dyma lais bach yn dod o ganol y crowd,
"Cerwch nôl i Barbaria, y diawled!"

Menyw yn codi ticed ar stesion Pencader, pan oedd y lein o Gaerfyrddin i Lambed a Chastell Newydd Emlyn ar agor.

"Ga i diced i Abertawe, os gwelwch chi fod yn dda?" medde hi. "Dim ond punt sy gyda fi."

"Popeth yn iawn," medde dyn y tocynnau. "Pymtheg swllt mae'n costio, a newid yng Nghaerfyrddin."

"Na, na, dim o gwbl," medde'r fenyw. "Rwy am y newid *nawr!*"

★ ★ ★

Crwt a'i fam o ardal Alltwalis yn cyrraedd gorsaf drenau Caerfyrddin a'r crwt yn mynd at ffenest y swyddfa docynnau.

"Un a hanner i Abertawe, os gwelwch fod yn dda?"

"I bwy ma'r un?" holodd dyn y ticedi.

"I Mam," medde'r crwt.

"Ac i bwy mae'r hanner?"

"I fi," medde'r crwt.

"Ond, ry'ch chi'n gwisgo trowser hir, allwch chi ddim mynd am hanner," medde'r dyn.

"Wel," medde'r crwt, "os yn ôl y trowseri ry'ch chi'n codi – dewch ag un i fi a hanner i Mam!"

★ ★ ★

Hen fachgen yn byw ym Mhen–dain
Yn cael ei boeni'n ofnadwy gan chwain,
Mi a'i clywais e'n dweud,
'Does dim byd i'w wneud
Ond cosi o hyd fel y diain.'

Idwal Jones

★ ★ ★

Cefais gyfle i gymryd rhan yn y rhaglen boblogaidd *Dros Ben Llestri* am flynyddoedd lawer ar Radio Cymru.

Fel arfer byddem yn recordio dwy raglen ar yr un noson mewn neuaddau ar hyd a lled de Cymru. Lyn Ebenezer oedd fy nghyd-aelod yn y tîm fel arfer, a'r ddau ohonom yn cael hwyl dda bob amser yng nghwmni pobl Sir Gâr a Cheredigion.

Do, fe fuon ni'n ymweld â neuaddau a festrïoedd y ddwy sir yn gyson am flynyddoedd lawer.

Y dasg olaf ym mhob rhaglen oedd cyfansoddi a chyflwyno cân ddigri o fewn dwy funud o amser.

Dyma flas i chi o un o'r caneuon rheini a gafodd farciau llawn gan Huw Llewelyn Davies, y cyflwynydd.

Y teitl a gafwyd yn festri Capel Aberduar yn Llanybydder oedd 'Yr *Au Pair*' a dyma oedd fy ymgais i:

# Yr *Au Pair*

Dibriod oedd Wil Pantyglatsien
A hwnnw ymhell dros ei drigen,
Un dydd gwelodd list o *au pairs* yn *Y Tyst*,
Ac fe halodd i mo'yn un yn syden!

Beth landodd ond biwti o flonden,
A fawr iawn o Sisneg – o Sweden.
Roedd hi'n hoffi *aerobics* – ath Wil yn ddwl horlics
Wrth 'i gweld hi yn stretsho ei chefen.

Bob nos, mewn rhyw *oil* roedd hi'n batho,
Ac wedyn at William yn closio,
Mor braf ydoedd hyn; ond wrth ei gwasgu hi'n dynn
Roedd hi'n slipo reit mas rhwng ei ddwylo.

Fe gladdwyd 'rhen Wil wythnos ddwetha,
Yr *au pair* gas y bai am ei gwpla.
A nawr mae hi'n whilo am le arall i weitho –
Bydd 'na fynd ar *Y Tyst* y mis nesa!

★ ★ ★

# CYFANSODDI 'MILGI MILGI'

Ygred ar lafar gwlad yn ardal Penboyr a Llangeler, yw mai yn un o'r 'Welcome Home Concerts' ar ôl yr Ail Ryfel Byd y canwyd y gân enwog 'Milgi Milgi' am y tro cyntaf, ac mai Benji Triolbach oedd yn gyfrifol am ei chyfansoddi. Mae'r gred hon o hyd yn fyw yn yr ardal ac mai mewn un o'r cyngherddau croesawu'r milwyr adref yn Y Rhos, Llangeler, Sir Gaerfyrddin y digwyddodd hyn.

Wrth deithio ar y brif ffordd o Gaerfyrddin i Gastell Newydd Emlyn, ar ôl mynd trwy Gwmduad, fe fyddwch yn codi i dir uchel, ac yna fe welwch yr arwydd Rhos lle mae Eglwys Sant Iago a Chapel Seiloh. 'Top y Rhos' y gelwir yr ardal hon yn lleol, gan fod rhostir eang yn ymestyn i gyfeiriad Y Garreg Hir a Phencader a Llanpumsaint ar un ochr, ac yna i gyfeiriad Penboyr a Hermon i'r cyfeiriad arall. O wybod hyn, fe welwch fod geiriau'r gân yn gartrefol i'r sefyllfa ddaearyddol.

Roedd y rhostir hwn yn enwog iawn am eu sgwarnogod, a byddai llawer un yn cadw milgwn yn yr ardal ac yn mynd â nhw fyny i dop y rhos i hela sgwarnogod.

Fe ddaeth y gân hon yn enwog iawn drwy Gymru gyfan, ac fe'i canwyd mewn tafarnau pan oedd canu mewn tafarn yn beth poblogaidd iawn – arfer arall sy'n diflannu o'r tir. Roedd 'Milgi Milgi' yn un o'r deg uchaf yn y gwersylloedd hefyd, gyda'r rhan fwyaf ond yn canu'r ddau bennill cyntaf. Yn y gyfrol *Cant o Ganeuon Yfed,* a gyhoeddwyd gan Y Lolfa yn 1975, mae pedwar pennill iddi. Diddorol fyddai holi o ble ddaeth y ddau bennill olaf.

## MILGI MILGI

Ar dop y rhos mae sgwarnog fach,
Ar hyd y nos mae'n pori,
A'i chefen brith a'i bola, bola gwyn
Yn hidio dim am filgi.

*Cytgan*
Milgi milgi, milgi milgi,
Rhowch fwy o fwyd i'r milgi,
Milgi milgi, milgi milgi,
Rhowch fwy o fwyd i'r milgi.

Ac wedi rhedeg tipyn, tipyn bach
Mae'n rhedeg mor ofnadwy,
Ac un glust lan a'r llall i lawr
Yn dweud ffarwél i'r milgi.

Rôl rhedeg sbel mae'r milgi chwim
Yn teimlo'i fod e'n blino,
A gwelir ef yn swp ar lawr
Mewn poenau mawr yn gwingo.

Ond dal i fynd wna'r sgwarnog fach
A throi yn ôl i wenu,
Gan sboncio'n heini dros y bryn
A dweud ffarwél i'r milgi.

hiwmor
DAI JONES

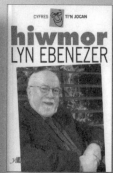

hiwmor
LYN EBENEZER

hiwmor
Y CARDI

Emyr Llywelyn

hiwmor
IFAN TREGARON

Ifan Gruffydd

hiwmor
SIR BENFRO

Mair Garnon

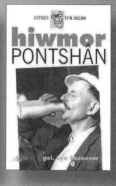

hiwmor
PONTSHÂN

gol. Lyn Ebenezer

hiwmor
IDRIS A CHARLES

Idris Charles

Charles

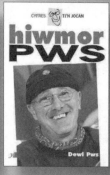

hiwmor
PWS

Dewi Pws

**Mynnwch y gyfres i gyd!**

CYFRES  TI'N JOCAN

Am restr gyflawn o lyfrau'r wasg,
mynnwch gopi o'n Catalog newydd, rhad
– neu hwyliwch i mewn i'n gwefan

**www.ylolfa.com**

i chwilio ac archebu ar-lein.

TALYBONT CEREDIGION CYMRU SY24 5AP
e-bost ylolfa@ylolfa.com
gwefan www.ylolfa.com
ffôn (01970) 832 304
ffacs 832 782